衣袍抖落霜寒

劉美雲 著

本書具體描繪一群志同道合、樂觀積極的同事，盡心盡意服務民眾。面對任重道遠的職責，獨自長期支撐難免感到困頓；同心協力發光發熱，團結的「我們感」就能相互鼓勵支持，發揮更大的濟世力量。

——鄺龑子

鄺龑子：香港著名學者、翻譯家、詩人、散文家。曾在美國大學和香港嶺南大學任教。現任香港大學榮譽教授。文學創作有詩詞集《水雲詩草》、《春花集》、《秋月集》、《夏木集》、《婉雯詩草》、《曉嵐詩草》、《九思林》等。散文創作有《煙雨閒燈》、《隔岸留痕》、《師生之間》等。

「三不負」的醫護生涯

——推薦劉美雲《衣袍抖落霜寒》

近月翻閱《明報月刊》，讀到美國哥倫比亞大學博士、師從夏志清的唐翼明教授談人生，在前賢所提倡之「三不朽」外，其更主張「三不負」：第一不負天，第二不負人，第三不負己。

「三不朽」的立德、立功、立言，是中國人文思想領域的一個價值命題，是不少文人士子畢生之追求，但它未必適合所有人，對於劉美雲而言就非其所欲。

可是，「三不負」卻巧合從《衣袍抖落霜寒》中可覓。

本書是劉美雲十多年醫護生涯的回望，皆前線親身所歷，真人實事，文淺情深——一幕幕生離死別、手術傷痛、豁達人生，皆歷歷在目。

當中的文章經年寫成，附加若干雜文充實，輕快可讀，幾百至一千多字一篇，尤適合現代人閱讀節奏。

美雲珍惜上天所賦予的資質，努力讓自己的天賦得到充分的開展，結出盡可能豐碩的果實，是為「不負天」。

美雲不辜負在成長過程中教導她、幫助她、愛護過她的父母、老師和朋友，不存害人之心，是為「不負人」。

美雲對自己負責，維護自己作為一個人的尊嚴，決不在有關人格的原則問題上委屈自己，決不對任何人低三下四，決不放棄獨立思考，人云亦云，是為「不負己」。

文如其人，做到「三不負」誠屬難得。

血淚經歷，以同理心細察，每每借鑑得到人生智慧。

壬寅孟夏寫於三癡堂

——張志豪

張志豪：香港大學中文學院碩士，香港中文大學教育文憑。現職《明報》集團編輯，兼雜誌副推廣主任。為香港茶文化院與南溟詩社合辦「文學創作課程」導師、香港文化學術社副社長、《香港作家》網絡版執行主編、《香江藝林》創刊主編、南溟詩社秘書長、香港作家聯會會員、璞社社員。著有《三癡堂詩草》、《壺中山月集》（合著）。

目錄

第二輯：醫護生涯

第三輯：雜篇

第四輯：美國生活實錄

第五輯：詩詞

序

張偉國

步入古稀之年，卻逢三年大疫，親人相繼離世，坐困愁港，漫漫千日，遵從抗疫規定，少與親友面聚。在疫情稍緩之際，忽然收到舊學生劉美雲女士的問候，並傳送她所寫的人生回憶文稿，向我索序，我欣然答允，細心閱讀。

美雲是個白衣天使，她在退休之後，到香港公開大學進修，修讀中國人文學科，因此與我結下師生之緣。時光流逝，美雲已畢業多年，我也早已退閒，同學假日郊遊，邀我參加，偶與美雲重聚，也是緣分。

日常生活之中，總會與各種各樣的人交往，有些擦身而過；有些因辦事而稍有接觸；有些泛泛之交；有些交談甚歡；至於古人所說的患難之交、管鮑之交、刎頸之交，則是另一層次。然而，無論交往有多深，每個人總會有自己的經歷，有自己的故事，未必為別人所知。我在大學教書，歷年學生數以百計；我到醫院看病，遇到眾多的醫生、護士、病人。他們都有自己的故事和經歷，但我對他們所知，往往限於課堂功課、工作關係，只是人生過客，但如果有機會深入了解，那就是緣分。

事實上，每個人的成長經歷，他們的故事，喜怒哀樂、成敗得失、人際關係，構成了這個社會、這個時代的細節，可以說是歷史的一部分。

美雲在退休之後，勤於筆耕，把往昔生活瑣事，在醫院工作時的所見所聞，朋友間的情誼，旅途中的感受，娓娓道來，寫成數十篇感情豐富的小品，彙集成書，留下歷史記憶的點滴，實在令人回味無窮。

張偉國

二〇二三年二月大疫放緩之後

張偉國：香港浸會大學歷史地理系畢業，新亞研究所碩士，北京大學歷史系博士。曾在香港浸會大學、香港公開大學和香港樹仁大學任教。從一九八三年起，為香港電台文化教育組編撰中華五千年廣播節目講稿及劇本，並擔任該節目主持人。其後亦是《神州五十年》和《古今風雲人物》節目主持人。著作有《巾幗列傳——從女媧到武則天》、《水經注——新視野中華經典文庫》（合著）。

第一輯：成長

包租公

我生長在基層家庭，童年生活雖艱苦卻快樂，因為我看到人性光輝的一面。當時我住在元朗洪水橋中興園，包租公待人接物的態度，我耳濡目染，終身受用。

包租公年過半百，架一副金邊眼鏡，高瘦身材，文質彬彬。他為人慈祥、開朗、樂於助人、富幽默感。他有一個小動作，便是眨眼。數十年過去，我仍舊記得，他戴著金邊眼鏡，在眼鏡玻璃下一眨一眨的雙眼。

當年，我只是小孩子，親眼見識到他宅心仁厚的一面。方程一家，剛從內地來港，衣衫襤褸，兩夫婦帶著四個孩子來租房。包租公得悉他們急需棲身之所，二話不說，立即答應。當雙方談妥各項細節，方程應該交付租金和押金的時候，尷尬地告訴包租公他身無分文。包租公看看可憐的孩子，從衣袋內取出鈔票，遞給方程，慈祥地說：「你去買幾塊床板、棉被和衣物，先安頓孩子。」

包租公依靠出租祖傳的田地為生。由於他有俠義心腸，總是把收回來的租金接濟他人，因此他的生活也是捉襟見肘。我們全村人都很貧窮，缺乏物質的享受，心靈卻感覺富足。大家守望相助，只要求兩餐溫飽，生活簡單而愉快。現時的人，大多講究物質享受，內心真的快樂嗎？

每年中秋節，我們全村人會把家中的食物拿到包租公的涼亭內，有人拿芋頭，有人拿水果，有人拿糖水，包租公則慣性地拿一盒月餅，月餅切成小塊，讓大家分享。小朋友用繩子拉著柚子皮，柚子皮上放了蠟燭，這便是我們的燈籠，我們小心翼翼地拉著自製的燈籠，既開心又滿足。

我們沒有電視機，包租公也沒有；但他有一部收音機。每天，最盼望的時間便是晚上八時，我們一群窮家孩子，聚集到包租公的書房，收聽電台節目《雷克探案》。聽完半小時的故事，便各自返家休息。即使下雨天，我的床頭、床尾都要擺放膠盆承載雨水，但那段日子，仍是我最愉快的童年歲月。因為我體會到人間溫情，體會到古樸的鄉土情，體會到簡單便是快樂。

包租公為人幽默風趣。某一次，包租公對我的母親說：「你的年齡可以做我的女兒，叫一聲契爺啊！」

我的母親笑著對他說：「契女唔好命，契爺死乾淨。」

包租公被我的母親將了一軍，也不生氣，只是慣性地眨眨眼，臉帶笑容離開。還有一次，他激怒了太座，太座憤而離家。兩天後，他寫信給太太，哄她馬上回家，成為鄰里的笑話。他的太太告訴我們，收到包租公一封只有兩行字的信件。鄰里問究竟信中寫了什麼？

她說：「信中寫著：『孤枕獨眠雙腳凍，無人冚被冷傷風。』我心想，你腳有你腳，你腳凍就搵襪著，我唔係靈丹藥，難醫你隻風濕腳[註1]。我依然生氣，但又擔心他抱病無人照顧，就速速歸家，回來才知道他沒有患病。他辯稱：如果我還不返來，他便真的會生病。我就這樣被他騙回家了！」

包租公真是聰明，略施小計，便立刻解除困局。人與人的相處，總會泛起茶杯裡的風波，究竟是大事化小？還是小事化大？這決定於每個人處事手法的高下了。問題總有解決的方法，選擇最佳的，還是最差的，則取決於個人的修為。

包租公同情弱小，尤其關懷孩子。某一個下雨天，我要上體育課，因為家貧，沒有雨鞋，只好穿著白布鞋。包租公看到我冒雨上課，溫柔地說：「阿雲，外面正下著大雨，你不要上學，又不是去考狀元。」

我看到他關切的神情，即使風雨帶來寒意，心頭仍是暖暖的。我對他笑笑，便上學去了。至今，這件事我還是忘不了。

小學二年級時，我們舉家遷居公屋。偶爾，母親會帶我們去探望包租公和鄰居。

在人生路途上，我受包租公古道熱腸的性格潛移默化，影響一生。包租公惜物、惜緣，處理事情總以人為本，重情輕利，以身教薰陶身邊的人。

我的人生經歷不少考驗，至今我仍然沒有辜負包租公的教化。中學畢業後，我參加領袖訓練班；完成課程，我們組織了義工服務團體，定期舉辦各項活動，例如：安排老人院的長者參加遊船河，兒童在暑假期間的日間活動，參與離島修路等義務工作。我在公立醫院任職護士，總是盡心盡力地為病人服務。

包租公的睿智，慈祥的臉容，永遠烙在我的心坎裡！

註 1：腿是你的，冷便找襪子穿。我不是靈丹藥，不能醫你的風濕腳 。

磨練

表姐由加拿大回港省親，茶聚時對我說：「你的童年很可憐。」我從來都沒有這種感覺，反問她為何有此種想法。她憐憫地說：「你小小年紀，便要站在小凳子上做飯。」我輕鬆地說：「沒有這樣的母親，便沒有今天的我。」與眾不同的母親，讓我養成獨立自主的性格。

母親是可憐人。她是棄嬰，幸得善良的養外祖父母收留，可惜養外祖母早逝，養外祖父再娶，養繼外祖母還帶著自己的女兒 E 嫁過來。

E 找母親陪伴相親。相親的男生（即父親）竟然喜歡母親，母親也喜歡他。養繼外祖母知道後，非常生氣，強迫母親嫁給街市賣豬肉的那個男人。

母親剛過碧玉年華，和年長一歲的父親私奔。從此，母親年年懷孕，被街坊暱稱「孖人」。父母都太年輕，不懂避孕，又不懂事。母親在三十七歲時已生了十個孩子，被醫生多番勸諫，才做結紮手術。我原排行第四，三個姐姐和一個妹妹都夭折，我成為長女，幫忙照顧弟妹和打理家務。

母親不善家務，沉迷賭博，買字花、賭外圍馬、打麻將，輸多贏少。父親找棉被，母親給他當票；父親找西裝，母親還是給他當票。父親脾性好，沒有責難母親，只希望她能夠戒賭。父親為了讓母親遠離誘惑，只好遷居，由深水埗大南街搬遷到元朗洪水橋中興園。可惜母親賭癮難除，買不到字花、外圍馬，便整天打麻將。父親回家沒飯吃，當然生氣，孩子最怕父母吵架，我決定學做飯，父親回家有晚餐，家庭自然和睦。我嘗試用木柴和大量舊報紙生火做飯，煮到「三夾底」（北方人叫做夾生飯），失敗告終。鄰居主動教我做飯的竅門。

六歲的孩子要做家務和做飯，別人感覺我真可憐，我倒覺得很開心，因學會烹飪，能令家庭和睦。自小的磨練，我學會變通，學會籌劃，更學會照顧別人。

母親有守舊思想，女子不用讀書，只要嫁個好丈夫，便不愁衣食。她認為不做家務並非自己的錯，這是父親無本事，沒有能力僱用傭人服侍她。母親連生七個女兒後，終於生了一個兒子。父親更加節衣縮食，僱用一名保姆照顧弟弟。家中孩子眾多，保姆年紀不少，第二個弟弟出生後，我當時不足六歲，便要幫忙照顧弟弟。我預備一瓶奶（煉奶加開水），奶瓶嘴放進弟弟口中，奶瓶用枕頭承托，他狼吞虎嚥地喝完了，也不用「掃風」。當年，弟弟胖胖的，很可愛。我至今記憶猶新。

我們居住的鐵皮屋非常簡陋。每當下雨的時候，我們需要在屋內漏水的地方放置膠盆盛載雨水。颱風來臨時，我們暫時要投靠親戚家。然而，我很懷念這段經歷，貧苦人家互相關愛，濃郁的人情味，尤其是我受包租公的薰陶，體會到人世間的真善美。

求學

我在求學的路途上幾經波折，小學階段入讀四間學校，方能完成課程。

我自小就嚮往尋求知識，很喜歡讀書。我要求讀幼稚園，母親沒打算供我讀書，託辭不習慣早起，我應承會自行上學，母親唯有答應。每天，我步行差不多半小時返回英賢幼稚園。後來我直接升上英賢小學（這是天主教會學校）。每逢星期日望彌撒後，教堂贈送每人一包上海麵。時至今天，我仍然喜歡吃上海麵，同時緬懷童年歲月。

我在英賢小學上課的日子，母親給我一毫買早餐，我只用五仙，餘下的放入撲滿[註2]。自此以後，我就養成儲蓄的習慣。我讀中學二年級的時候，父親失業，我用髮夾把撲滿內的硬幣挑出來買菜，支撐了一段短短的日子。

小學二年級下學期，我家遷居荃灣公屋。我輟學一年多後，姨母勸母親讓我讀書，母親才送我到表兄就讀的學校當小四插班生。我讀小學五年級，課程還未完成，學校就倒閉了。某老師租了一層唐樓，用木板分隔成數個課室，我們跟著老師學習，完成小五課程。暑假期間，我自己去尋找學校，小學六年級入讀荃灣英文書院。小學課程裡，我要入讀四間學校，才能完成。

中學時，我考入一間教會新開辦的英文書院。早會時，外籍校長使用英語發言，見學生沒有反應，於是當眾發問：誰聽得懂她的話呢？只有兩位學生舉手。校長只好決定，開學首月的早會由中文老師翻譯。一個月後，早會恢復全英語發言。很多學生跟不上而退學，我堅持一段時間，才漸漸適應。

因家貧獲批繳交一半學費，每月二十六元。當我讀中二時，父親失業，被米舖討債，我們躲在家中，驚惶失措，母親要求我停學。自小學六年級暑假開始，我向別人借兒童證去打暑期工[註3]，掙錢全給母親。我答應母親，放學後盡快回家做家務和照顧弟妹，不參加學校課外活動。我懇求母親讓我完成中學課程，因為我想做護士。母親初時不肯答應，我把事情寫在週記簿內，表明渴望讀書的心願，有違母親命令，行為不孝，感覺兩難。班主任看到我的週記，立即見家長，母親否認要求我退學，我終於逃過輟學的命運。

一九七四年，我參加中學會考，想不到英國語文科竟然不及格。我的小學考試成績全是三甲以內。中學考試的成績都是中上水平，豈料陰溝裡翻船，父母都擔心我無法接受失敗，鼓勵我重讀中五。

我在原校重讀，晚上到明愛中心學習簿記。一九七五年中學畢業。翌年，我以半工讀完成預科課程。一九七七年，我考入護士學校，接受培訓。任職註冊護士期間，我報讀香港護士會（今香港護理學院）舉辦的不同課程，包括：兒科、法律、藥物學、微生物學等，充實自己，與時並進。

註2：撲滿，又名錢筒、儲蓄罐，是儲存硬幣的容器。「撲滿」的意思就是滿了就打破。〔晉〕葛洪《西京雜記》卷五：「撲滿者，以土為器，以蓄錢，有入竅而無出竅，滿則撲之。」
註3：當年勞工署規定，港人年滿十六歲才能工作，兒童證沒有照片，只有姓氏。

父逝

父親任職小巴司機，很少休息，勤奮節儉。他很愛母親，掙錢全交給母親；他很愛孩子，孩子是他的命根。他買水果給我們，自己卻捨不得吃。姑母直言父親是捱得太辛苦而死的。父親只顧工作，長期睡眠不足，缺乏運動，飲食不均衡。病危時，父親才告訴我，想吃紅蘋果，我滿足他小小的心願。母親卻埋怨我害死父親，原來她求神問卜，花錢幫父親續命，父親忌紅，我竟然犯忌。

我入讀護校數月，父親因腸塞入院，證實患上腸癌。一星期內，他接受兩次緊急剖腹手術。首次完成手術，他入住外科病房，每晚我坐在床邊陪伴，通宵照顧父親。堂姐夫是夜更的士司機，凌晨二時多到醫院探望我父親，見我仍在病房，向親友誇讚我是孝女。其實，照顧父親是我應盡的責任，只可惜癌細胞擴散迅速，併發腹膜炎。由於傷口爆裂，被迫緊急做第二次剖腹手術。手術後，父親要入住深切治療部，不久病逝。

母親真的很可憐，中年守寡。父親去世後，她完全不懂如何面對，終日以淚洗面。我是長女，只能抖擻精神，獨力承擔，理智地處理父親的喪事，挑選棺木、殯儀館，安排做法事，通知親友，取死亡證等。人前堅強，人後淒涼。我自己經歷喪親之痛，更希望幫助別人，使他們不用承受這樣的痛苦，因而我盡心盡力照顧病人，希望所有病人都能痊癒出院。

自小，母親灌輸我們孝順的觀念，時至今天，她仍然是我們的老佛爺。母親自父親去世後，開始茹素。多年來，她仍然喜歡竹戰，麻將友由鄰居漸漸地改為兒子、兒媳、女兒和女婿。二〇二二年，母親快踏進鮐背之年，雖行動緩慢，但仍能步行超過三十分鐘，到素食館享用美點，與友儕閒聊。她由外籍家傭照顧，與家人同住。五月，她在家跌了一跤，入醫院施手術。回家後，她每天聽歌做步行運動，康復情況理想。八月，母親確診感染新冠病毒，由於她患糖尿病多年，我們都非常擔心。幸好母親終於戰勝病魔，現在又有精神打麻將了。

父親在天之靈，知悉母親得享高壽，當感安慰了。

第二輯：醫護生涯

入讀護校

一九七七年六月六日，我進入護士學校受訓。修讀註冊護士的三年期間，首先在護校上理論課和模擬實習八星期，然後分派到不同病房、門診部、急症室和手術室等實習，實習一段時間，便要返回護校繼續理論課程，參加考試，考試不合格要留班，跟下一班同學一起考試，每三個月開新班。

當年護士學生月薪七百多元，還要扣除食宿費用。由於我要給母親家用，只好兼職做補習老師來增加收入。自小家貧，習慣節儉。每次我下班經過醫院附近的小店，看到售價一元五角的檸檬茶，很想買來解渴，但理性地離開，因為我沒有餘錢享受口腹之欲。一九八〇年，我畢業成為註冊護士，月薪是一千八百元。兩年後，我完成助產士課程，多一個專業資格，增加一個薪酬點，適逢薪酬架構調整和每年薪酬調整，月薪增至四千四百元，使我喜出望外。

小學六年級作文的題目：我的志願，當時我已立志做護士。我讀英文書院，投考用英語授課的政府醫院護士學校。先參加筆試，合格後才安排面試。我通過筆試，卻過不了面試一關。多年後，我才知道不應紮著兩條辮子去面試，表現得既幼稚又緊張，考官只想招收成熟穩重的護士生。當你愈想得到就愈緊張，可能會事與願違。

我早已計劃中學畢業後，先做一年文員，吸收人生經驗，才到護校讀書。重讀中五時，我在晚上進修簿記，暑假學習打字，懂簿記和打字，找份文員工作應該不難。我到勞工處登記，得悉某食品公司招聘化驗室助理，決定應徵來取得面試經驗，由於我預計不會受聘，因此表現輕鬆，竟然獲得聘用。

我在化驗室任職大半年後，便投考政府護校，卻不成功，於是晚上到能仁書院（二〇一四年升格為香港能仁專上學院）攻讀預科，同時應徵其他護校。預科畢業後，我終於進入一間歷史悠久中文授課的護士學校受訓，開始終生難忘的醫護生涯。

病房實習首記

我穿上整齊制服，戰戰兢兢地等待護校導師，他帶著我到被分派的兒童外科病房實習。兒童病房的患者是十二歲以下的孩童。導師把我介紹給病房註冊護士崔姑娘後，我便開始護士學生的首日工作。

崔姑娘安排高年級學生教導我病房工作。醫護界重視階級觀念，低年級學生要服從高年級學生的指令。我們習慣稱呼低年級學生為LOWS，高年級學生為HIGHS。LOWS的工作包括：換紙尿片，聽嬰兒心跳，餵奶，量血壓，到血庫取血等。HIGHS則負責：注射針藥，派發藥物，清洗傷口和拆線等。

在治療室外，男童排成一條人龍。他們都是患上先天性包皮過長，在暑假到醫院接受包皮切割手術。我進入治療室，看到師姐預備了很多無菌塑膠小圓盆，盆中有消毒藥水，分派給男童浸洗，然後師姐用無菌包為男童包紮傷口。

我恍如劉姥姥入大觀園，心情既緊張又興奮，多年來的心願終於實現了！想到這裡，我更加努力工作，量完血壓，便去聽嬰兒心跳，換紙尿片，餵奶⋯⋯

「劉姑娘，把尿壺和便盆放回污衣室，護士長要來巡房呀！」崔姑娘命令地說。病房清潔員躲懶，崔姑娘沒能力管理好，知道病房亂七八糟會被護士長責罵，便下令我做清潔工作，因為我是第一天在病房值班，當然是最好欺負的。我感到忿忿不平，這應是清潔員的工作，為什麼要我做呢？此時此刻，我感覺既氣憤又無奈。我看一看她，有些鄙視她，當時心中湧起千迴萬轉的念頭：拒絕執行，維護個人尊嚴；立即辭職以表憤怒；向上司投訴崔姑娘的無理要求，追尋正義……

最後，我決定聽從指示，不能因她的無能而影響我的工作態度，將它視為上天給我的考驗。我於是立刻處理，不作申辯。

護士長馮姑娘來巡房，看見雜物車內凌亂不堪，於是責備崔姑娘，崔姑娘竟然把責任推卸給我。馮姑娘當面訓斥她說：「劉姑娘第一天到病房當值，還未清楚病房的情況，你怎能諉過於她呢？」

護士長仗義執言，令我銘感五內。人生不如意事十常八九，每遇挫折便放棄嗎？人生漫漫長路，必然有不少考驗，只要堅定信念，必能克服重重難關。我希望做到既能夠悉力照顧病人，讓他們感覺溫暖；又能夠妥善管理員工，做名副其實的白衣天使！

被剝皮的女孩

青蛙被剝皮你可能見過，人被剝皮我相信見過的人並不多。這是血淋淋的一幕，在我護理生涯中，難忘又難過的經歷。

一個炎熱的下午，兒童外科病房接收一名新病人。她是三歲女童，名叫婷婷，雪白皮膚，鵝蛋形臉龐，圓大眼睛，薄嘴唇，這是標準美人胚子。婷婷由一個矮胖婦人陪伴入院，婦人神色慌張。她是女孩的保姆，把自己的家充當託兒所，獨自照顧數名小孩。

當天中午，婦人把整鍋剛煮好的粥放到小桌子上，便往廚房拿飯碗和湯匙。她剛剛離開，幾個天真活潑的小孩嘻嘻哈哈走到桌前，婷婷將一隻手放進鍋裡，她的小手遭熱騰騰的粥燙熟了，頓時放聲大哭。

婦人聽到淒厲的哭聲，趕快跑出廚房，知道一時疏忽，闖下大禍了，立即報警，並通知婷婷的父親。

醫生檢視婷婷傷勢時，一個高高瘦瘦的青年怒氣沖沖，走入病房，大罵婦人，欲痛打她一頓，我們馬上勸止。婦人深感歉疚，不斷賠不是，原來青年是婷婷的父親。婷婷的父母都在夜總會工作，把孩子交給婦人照顧。

婷婷的右手，由手指至上臂都嚴重燙傷，皮膚焦黑，醫生處方給予患者止痛藥、消炎藥，脫掉死皮，傷口每天用鹽水浸洗，然後塗燙傷藥膏。

師姐小心翼翼地使用鉗子，把婷婷燙焦的皮膚由上臂揿掉，直到手指的皮膚也脫落，恍如街頭活剝青蛙皮的情景，所不同的是小女孩哭得死去活來，青蛙則任由宰割。

兒科病房的探病時間是下午二時至三時，由於婷婷的父母都是夜間從業員，所以他們很少在這段時間出現。

一個月黑風高的晚上，凌晨二時多，我當夜更，瞧見婷婷父母鬼鬼祟祟地走入病房。我故意走開，裝作看不見，好讓他們探望女兒。我知道婷婷一定期盼父母探問，希望她飽受痛楚折磨之餘，她仍然感受到父母的關愛。

婷婷留院期間，這是我人生中一段刻骨銘心的經歷！看到她小小年紀便要承受這種皮肉之苦，我也感到椎心之痛！

孩子應該在快樂和安全的環境下成長的，可憐的婷婷得不到良好的保護及照顧！她的父母都很年輕，僱用保姆，考慮不周。保姆太大意，應量力而為，豈能以一人之力照顧多名幼童？

一次人為疏忽，造成小女孩終身難忘的心靈創傷，徒嘆奈何！

打包

人有生必有死。嬰兒出生時，護士為他們疏通氣道後，然後幫他們清潔身體來迎接未來人生。病人死亡後，護士也會為他們清潔身體以便乾淨地離開塵世。

「打包」係醫護界術語，是指醫護人員為離世的病人清潔身體，然後用白床單包裹成椰子糖形狀，最後送遺體往殮房。一般而言，當醫生確定病人去世後，病人屍體會留在病房一段短時間（大約一小時），待體溫降低，屍身變硬，然後由護士學生和病房清潔員，共同合作「打包」。

沒有人喜歡「打包」。醫院會有一套既定規則，「打包」由病房裡最低年級的護士學生負責。我時常被派往外科、骨科或兒科病房當班，這些病房死亡的個案較少，還有護士學校每三個月便有新班，所以我沒多少「打包」經驗。內科病房的死亡率最高。死者當中，長期病患的長者佔多數。我有兩位同學，她們常常被派到內科病房值班，埋怨又要「打包」了。不知何故，凡是中國傳統節日，例如：中秋節、重陽節等，死亡的個案特別多。

我至今只記得第一次「打包」的經歷，也是在內科病房。病人屍體插滿「天地線」（鼻孔插著氧氣喉管，手部插著靜脈輸入導管，還有尿道插著導尿管連接尿袋）。好像熟睡的模樣，只是面無血色，完全沒有生理反應，體溫略低。若說毫無畏懼，那是假話。我的心跳加快，但我不能打退堂鼓啊！我只好強裝鎮定，小心翼翼地為病逝者拔去「天地線」後，便與清潔員通力合作，為死者清潔遺體。誰會料到，我惶恐，她更驚慌！

她嘴裡唸唸有詞：「不關我事！你不要來找我呀！」我問她：「妳第一次打包嗎？」她回應我說：「不是，我每次打包都很害怕。」我故作冷靜地說：「我們不是害他，而是幫他，讓他乾乾淨淨地上路。他只會感激我們，不會傷害我們的。」

清潔員聽了我的話，心中便釋然了。其實，我不是安撫她，而是安撫自己呀！

首日手術室實習記

早上八時半，當值的註冊護士已經準備好手術儀器和一切醫療用品，然後指導我使用刷子、肥皂和消毒液來清潔與消毒雙手，穿上無菌手術袍和戴上無菌手套，等待協助骨科醫生做手術。當時我是護士學生，將要戰戰兢兢地面對血肉模糊的畫面。

手術室內最少要有兩位護士，護士 A 必須穿著無菌大衣，跟隨操刀醫生，把用具（鉸剪、手術刀、血管鉗、止血槍、紗布等）遞給醫生，同時亦要幫病人抹血。護士 B 則要記錄手術過程中所用的一切醫療用具、棉花、紗布數量等，還要負責對外聯絡，例如：病人需要輸血，該護士便要通知其他護士到血庫取血。手術完成後，護士 A 要進行清點，大聲讀出用過的棉花、紗布、血管鉗、剪刀等數量，與護士 B 核對[註4]。

除護士外，當天手術室內還有兩位骨科醫生（顧問醫生和高級醫生）、一位麻醉科醫生、兩名石膏師傅。我負責協助傳遞醫療工具或用品。我們在手術室忙了超過六小時。

病人膝蓋和上下組織被切除，長度有八吋。石膏師傅於手術前、後都有拍照存檔。顧問醫生為保留的肢體止血，然後接駁動靜脈血管、神經線、筋腱、肌肉和骨骼等不同組織。動手術的過程，由早上九時至下午三時多，負責操刀的顧問醫生沒有離開手術床半步，無暇進食喝水，連洗手間也不能去。

手術大部分完成後，只欠外皮縫合，顧問醫生才交由高級醫生處理。此時，顧問醫生已經筋疲力竭，拿起已放了兩個多小時的飯盒，狼吞虎嚥地吃下又冷又硬的飯菜。盡責的顧問醫生想親自動手，寧願忍飢挨餓，直至手術完成。

其實，手術所需的時間較長，這是由於顧問醫生宅心仁厚，決定為病人保留下肢。如果施行膝上截肢手術，醫生把病人膝蓋以上的下肢截斷，止血後，便可以縫合傷口。顧問醫生見病人膝蓋腫瘤擴散範圍仍然可控，寧願辛苦一些，施行截肢重接術。截肢重接術難度非常高。更難的是，既要接駁血管和神經線，也要接通血管。既耗費精神又需高超的技巧，成功率難以預料。

接受手術的病人，是一名二十八歲的青年，名叫莫不同。他身材健碩，皮膚黑黝黝的。

兩年前，他突然感覺膝蓋劇痛，入院檢查後，證實患了骨癌。主診醫生建議他儘快接受手術，否則癌細胞擴散，他就有性命之虞。究竟是切除腫瘤部分還是要截除下肢，則根據腫瘤擴散的情況而定。手術後，職業治療部會為他量足訂製加高鞋或義肢，他可以穿著長褲遮掩。經過物理治療訓練後，他仍能走路。儘管主診醫生費盡唇舌，向他痛陳利害，莫不同根本接受不了殘酷的現實，哪會聽從醫生的忠告呢？

莫不同目露凶光，大吵大鬧，失控地對醫生大喊：「誰人要截除我的腿，我就斬死誰！」最後，他簽署 DAMA[註5] 出院。

自此以後，莫不同四處求醫，在香港或內地接受不同的治療，包括中醫、「神醫」等，只要不用做手術的，他都會嘗試。可惜付出與回報不相稱，他耗盡全家畢生積蓄，病情仍然沒有絲毫好轉。

一年多過去了，他的病情每況愈下，膝蓋腫脹得很厲害。他心中不禁發慌起來，於是回到醫院懇求主診醫生替他施手術。

病人總算不幸中之大幸，遇到一位再世華佗，手術順利完成。

數月後，他終於可以再用雙腳走路了。

註 4：當年手術室內有一個大白板，這以便記錄手術所用醫療用品的數量。

註 5：DAMA 是病人自行出院同意書，病人承認不聽從醫生意見，堅持出院，自己承擔一切責任。

患骨癌的高材生

月亮靜悄悄地爬過星羅棋布的石屎森林，從天上撒下點點銀光，為參差不齊的大廈鋪了一層白霜。在醫院四樓的病房內，大部分的病人都已經就寢，護士正忙於常規工作。霍展誠卻拿著一本厚厚的醫科書，聚精會神地閱讀。

他只有十八歲，是名校的預科高材生，品學兼優，在學校深受老師的稱讚和同學的愛戴，他對前途充滿信心和期待之際，竟然患上骨癌。

他是獨子，父母年過半百。當醫生向他們解釋病情時，父母老淚縱橫，展誠雖流露出不服氣的神情，卻沒有埋怨，反而安慰父母不用擔心，自己會痊癒，一定能夠戰勝癌魔。

他住院接受治療的時間很長，與醫護人員漸漸地建立了友誼。我們都盡力幫助他，滿足他的要求，讓他在人生最後的階段感受到溫暖和關愛。

骨癌患者大多數是年輕人，年輕人的新陳代謝率較高，癌細胞擴散也較快。我曾目睹一位十二歲女孩患骨癌的情況。她每天要注射多次嗎啡止痛，瘦骨嶙峋，苦不堪言。展誠則很堅強，很少要求嗎啡止痛，他把注意力集中在書本上，希望了解自己的病況。

可惜事與願違，他接受治療的過程並不順利，更出現併發症——內臟衰竭，只好轉介到內科。內科醫生建議，病人轉往內科病房，接受觀察和藥物治療。展誠在內科住院一段時間後，他的父母到骨科病房找我們，轉達展誠的心願，懇求我們把他調回來。原來他不喜歡內科病房，感覺非常不開心。最終，醫生簽署文件，讓他轉回骨科病房繼續治療。

眼前的他受盡癌魔蹂躪，堅毅的精神已蕩然無存，面容日漸憔悴，身體越發虛弱，我們都感到很難過。

他慨嘆地說：「人生有很多無奈，即使如何不甘心，我也要接受現實。我自知時日無多，只希望多點時間陪伴父母。內科病房的護士卻不肯通融，在非探病時間要求我的父母離開。真不明白他們為何要墨守成規，完全不能變通呢？」

我向他解釋，每個人性格不同，處事方法自然有異，很多事情難定對錯！我們了解他的情況，所以彈性處理，讓他的父母在非探病時間仍可留在病房，這是因為我們以人為本，著重病者的感受，也著重病者家屬的感受。內科病房的同事依照醫院規則，執行探病時間的規定，方便醫護人員工作和病人休息，這也不能說他們有任何不對啊！

無可否認，我們優待他，他依賴我們。當調回骨科病房時，他表現非常雀躍，好像外嫁女歸寧似的。在他生命最後的歲月裡，我們陪伴著他，見證他默默地承受病魔的折磨，最後他安詳地離開凡塵俗世。

自殺病人

近日，香港發生多宗自殺個案，輕生者包括學生。我在骨科病房工作時，曾照顧一位跳樓自殺未遂的大學生D。

D由五樓縱身躍下，身受重傷，雙腿骨折。他被送到骨科病房，需要施手術和打石膏。D外貌平凡，中等身材，是香港大學二年級文科生。他是獨子，姐姐是知名歌星，家境富裕，父母和姐姐都對他寄予厚望，寵愛有加。D告訴我們，家人的寄望給他很大壓力，自己並不是讀書料子，僥倖考入香港大學，學習得很辛苦，因抵受不了壓力而自盡。

醫院規定：凡自殺未遂的病人，醫護人員必須嚴密看守（Close Watch），防範病人在醫院再度自戕。D入院後，我們安排他的病床對著護士辦公桌，這樣便可以時常注視他的一舉一動。

D要施行多次手術，又要接受物理治療，因而在骨科病房住了一段很長的日子。可能真的是日久生情，他對護士很信任，總是向我們傾訴心事。從正面來看，這是好現象，他已經打消了自殺的念頭。然而，他對我們的依賴，同時也隱藏著危機。

D出院了。我們都鼓勵他要勇敢面對人生的挑戰，他切不可再自尋短見。D欣然告訴我們，他放棄學業，獲得家人同意，可以追求自己的理想。我們看著他笑容滿面地出院，以為終於可以放下心頭大石。

他出院翌日，我當下更（2:30pm 至 10:30pm）。晚上八時多，一位男士穿著三件式西裝，拿著一袋東西，走到護士辦公桌前。我剛想告知他探病時間已過，定睛細看，原來他是D。他把那袋東西遞給我，笑容可掬地説：「這是家姐的唱片，送給你們。」我向他解釋，我們不能收受病人的禮物。他回應説：「我已經出院，不是病人，是你們的朋友。我要謝謝你們，這是小小的心意。同時，我想找李姑娘。」

我説：「李姑娘已經下班了，你找她有什麼事嗎？」我看著他靦腆的樣子，覺得有點不對勁。我又不敢刺激他，於是立即致電吳醫生求助。

吳醫生是D的主診醫生，為人慈祥而有醫德，病人都非常信任他。他接到我的電話，立即趕到病房。吳醫生帶D到醫生室閒聊，在旁敲側擊下知道D愛上了我們的同事——李姑娘，她是畢業不久的年輕護士。留院時，他不敢表白，打算出院後發動追求攻勢。吳醫生得悉他的意圖後，勸導他不要影響護士的工作。他離開病房後，我們商討應對方法。

我們聯絡了李姑娘，把D愛上她的事，以實相告。李姑娘坦言已有男友，絕不考慮D的追求。我們把這事告訴護士長。最終為了避開D，李姑娘調往其他病房，我們便成為保護她的擋箭牌。

D終日徘徊骨科病房，纏擾了我們一段不短的日子。吳醫生耐心勸慰他，讓他知道感情事不能勉強，他既然出院了，便不應逗留病房，妨礙醫護人員工作。吳醫生鼓勵他從新振作，凡事量力而為，不必給自己太大壓力。初時，他還是死心不息。數月後，他才不見蹤影。經此事後，我們汲取教訓，既要關懷病人，也要保持一定距離，以免歷史重演。

突發事件

如無突發事件，我不會在當值時離開工作崗位。一個寒風颯颯的晚上，我在用膳時段匆匆走出醫院。

那天，我當下更（2:30pm 至 10:30pm），男友小張致電給我，他的手指頭被機器截斷了，他正在瑪嘉烈醫院看急症。我答應去探望他。

當年，他只有二十五歲，獨自經營一間小型五金廠，自己和伙計一起工作，用機器壓縮材料、燒焊或包裝，什麼事都親力親為。下班後，我會到他的工廠幫忙。得知他出事的消息時，我心中難免忐忑不安，仍強裝鎮定，完成病房工作，安排時間去探問他。

當日，我是高年級學生，可以優先選擇用餐時間（6:00pm 至 7:00pm 或 7:00pm 至 8:00pm）。我告訴學妹，晚上六時我先去吃晚餐。時間一到，我立即離開病房，返回宿舍更衣，飛奔到快餐店，買了一個魚柳包，然後去乘地鐵。

在車廂內，我鬼鬼祟祟地吃魚柳包。出閘後，我飛跑到瑪嘉烈醫院。

在急症室，我看到小張。他告訴我，右手食指被機器切斷了一截，急症室醫生原本打算為他切除。但是，他要求醫生幫他駁回，因為寫字要用！他平靜地說：「醫生勉強幫我接駁指頭，可能我的皮厚，針頭太粗，穿不過皮膚。醫生吩咐護士更換幼針，護士告知沒有，醫生只好費盡九牛二虎之力，完成斷指接駁手術。我真的感到很痛，手指可以駁回，還是值得的。」聽著他娓娓道來，我強忍淚水，心痛不已。

他受盡皮肉之苦，還神態自若，我心疼之餘，更肯定自己沒有選錯人。這年輕人不怕苦，考慮周詳，一般人只會聽從醫生建議，怎會考慮失去一截食指對日後的影響呢？

遇到突發事件能夠冷靜處理，這需要成熟心智和高情商，尤幸這年輕人過關了。這次意外，讓我加深了解他。

小張完成斷指接駁手術，拿消炎止痛藥回家服用，然後等待傷口癒合拆線。雖然縫合的傷口有些參差不齊，幸而手指總算完好。所謂「吃得苦中苦，方為人上人。」年輕時受苦不算什麼，我想到這裡就釋然，立即趕回醫院上班去。晚上七時，我及時返回工作崗位。

初三斷臂事件

陳醫生出身自基層家庭，立志懸壺濟世，經過多年努力，終於在香港大學醫科畢業，受聘於公立醫院。他是性情中人，正是「登山則情滿於山，觀海則情溢於海」。他希望盡一切能力，幫助貧苦大眾。某年的農曆年初三，陳醫生經不起病人再三懇求，做了錯誤決定，終身遺憾。

春節期間，病人達到出院條件，已經出院；仍需接受治療而沒有迫切留院的，也可放假回家度歲。病人少了，當值的醫護人員也少了。

窗外天色灰暗，寒風颯颯，病房較往常寂靜。鈴鈴鈴……，電話鈴聲響遍病室每個角落，我匆匆拿起聽筒，對方大喊：「收急症，斷臂！」我馬上通知當值的陳醫生，還預備一張可調節活動的手術床給病人，床頭亦要有氧氣供應[註6]。剛預備好，病人便送到。他呼天搶地般大喊：「醫生救救我啊！我不想殘廢呀！」

病人身型健碩，皮膚黝黑，眼睛圓大，聲音洪亮。他是收垃圾工人，正值壯年，依靠勞力養妻活兒。當天早上，他把垃圾倒入車內垃圾槽時，垃圾槽蓋突然掉下，把他的手臂截斷，血流如注，同事立即報警，把他和斷臂送到急症室。

陳醫生對病人作初步評估，還安撫病人，並向他解釋病情：由於斷臂切口不齊，曾掉進垃圾槽內，細菌感染的機會很大，因此不宜施行接肢手術。病人竟聲淚俱下，苦苦哀求陳醫生幫他接駁斷肢。

最後，陳醫生心軟了，感情用事真的是害己害人！病人接受斷肢接駁手術後，雖然注射多種抗生素，但是傷口總是不能癒合。數年間，病人總是進進出出醫院，這問題不只是一條手臂，而是服用大量抗生素的副作用，身體多個內臟受損，例如：肝衰竭、腎衰竭等。最後，他失去寶貴的生命。陳醫生因一時心軟而做錯決定，內疚不已。

從另一角度看，「初三斷臂事件」中，陳醫生決定替病人接駁斷臂，究竟是對？是錯？這沒有必然答案。

他知道手術有失敗風險，病人卻堅持並願意承擔風險。如果陳醫生堅持不替病人做接駁手術，病人可能永遠都埋怨他。手術後，病人需要注射抗生素，假如病情受到控制，病人便不用長期服用各種抗生素，就不會出現內臟受損而危害生命的情況。這樣的話，陳醫生的決定便是正確的。

我曾目睹不少亡命之徒接受斷肢接駁手術，從未遇見失敗的個案。這是由於械鬥而造成的斷肢傷口整齊，傷口也少感染，手術成功率自然較高；工業意外所造成的傷口多數污穢，也不整齊，手術後難免出現問題，病人通常要較長時間痊癒。因藥物的副作用而失去生命的情況並不多，但風險仍在。

在人的一生中，難免遇到逆境。我們在艱難時刻必須冷靜，分析利弊，一時衝動，可能會做錯決定，抱憾終生。

註 6：當年醫院設備不足，不是所有病床都可以調節高低，更不是所有床頭都有氧氣供應。

人間有情

醫院是社會的縮影，反映人生百態，人情冷暖，生離死別。這些情景司空見慣，可以令人淡然處之，也可以欣慰或慨歎，這按每個人的性情而定。我是感性的人，對一些人和事總是忘不了，有些情景更深入腦海，以下是一個人間有情的故事。

某個下午，醫院收了一個新病人。老婆婆獨居，在家跌了一跤，因而導致股骨頸骨折。她乘救護車入院，醫生診斷她要接受手術。

簽手術同意書時，她告訴我們，沒有任何親人，以前當保姆，僱主全家已經移民外國，她無依無靠，也不知如何是好！後來，她自行打指紋同意施手術。

手術後，婆婆仍未能下床。探病時間，其他病人探望者眾，她卻是孤伶伶的。過了數天，又是探病時間，我看見一個斯斯文文的年輕人，他拿著毛巾細心地為婆婆抹臉抹身。

我行到婆婆床前，問那年輕人：「請問你是婆婆的親友嗎？」他回答：「是她帶大我的。」我恍然大悟，又問他：「你全家不是已經移民了嗎？」

他用關愛的眼神看看婆婆，然後對我說：「我為了安頓她的晚年生活，才回香港的。我會找一間聲譽良好的老人院照顧她。麻煩你們在她出院時通知老人院，並安排車輛送她前去。稍後我會把老人院的資料給你們，拜託了。」

看著眼前的年輕人，我的淚水差點兒忍不住掉下來。人間有情，現代真人版「桃姐」。婆婆真有福氣，即使親生子女，也未必願意為生病的父母抹臉抹身，更何況專程回港安頓老傭人。這位年輕人真是有情有義！

數天後，年輕人把老人院的地址交給我們，並吐露心聲，會支付老人院的費用，直至婆婆百年歸老。

軟硬兼施

醫院探病時間，訪客人數超額註7，他們要輪流探望。陳婆婆有兒子、女兒和外孫探問。可是，當她可以出院時，兒子和女兒便藉詞推搪。沒有人答應接她回家，更不再到醫院探訪。由此可見，在前文中，少東專程由外國返港，安頓老傭人的行為，更覺難能可貴。

陳婆婆康復，醫生早已簽署出院文件，負責的同事告訴我她傷透腦筋，婆婆的子女卻總是推諉塞責。她的兒子理直氣壯地說：「入院前，她幫妹妹帶孩子，出院當然是返回妹妹的家！為何要我接她出院？」

同事致電婆婆的女兒，她冷淡地說：「我是外嫁女，你應該找她的兒子，兒子照顧母親是天經地義之事。」

同事問婆婆的意願，婆婆無奈地說：「住兒子或女兒的家，我都無所謂。」可惜他們都不願意接母親回家，同事不知如何處理，把個案交給我，便下班去了。

當天探病時間，真的沒有人來探望婆婆。我完成病房例行工作後，致電婆婆的兒子，運用軟硬兼施的手法，使他答應接母親回家。

我對他說：「你看到醫院的警崗嗎？要不要我報警告你們遺棄？如果由警員送婆婆回你家，鄰居看到也不好。你都有兒女，他們看見你這樣對待母親，所謂『簷前滴水』，你也不想兒女如此回報你嘛！明天你來幫婆婆辦好出院手續，我可以安排救護車，把你們一起送回家。我也知道家家有本難唸的經，世上沒有解決不了的問題，你們兄妹好好商量一下，輪流照顧老人家，這是你們的責任，不能逃避，也不應逃避！」

我動之以情，説之以理，更出動恐嚇手段，才能解決陳婆婆出院的問題。

翌日早上，陳婆婆的兒子到醫院辦妥母親出院手續後，由我預約的救護車送他們回家。當天交更時候，同事得悉陳婆婆已經出院，感到很詫異，問我如何説服她的家屬，我笑著説：「軟硬兼施啊！」

其實，我們醫院的警崗，並不等同一般的報案中心。家屬不接病人出院，即使警局也不會受理。我只是利用中國人害怕見官和愛面子的心理，警察送他的母親回家，他該怎樣面對鄰居的閒言閒語呢？醫生簽署出院文件前，他們都來探望婆婆，這可見他們並不是狼心狗肺的人，只是兄妹之間互相推卸責任。所以我建議他們輪流照顧婆婆，便解決了相關問題。

註 7：當時醫院探病時間，每次只限兩名訪客。

被騙

報章專欄中，區樂文醫生講述自己在公立醫院實習的生涯，每三天當值一次，每次三十二小時。從他的文章中，我不期然回想起任職護士期間的一件往事。

當年我在醫院不同的部門實習。有一次，我在門診部當值，專責協助腦科 W 醫生診治病人。他是一位溫文爾雅，戴黑邊眼鏡，皮膚白皙，高瘦個子的青年。他很用心地為每位病人診症，完成工作後，我問他為何選擇到腦科工作。因為我知道腦科是最忙碌、最危險和工作時間最長的部門。

W 醫生聽了我的詢問，露出一絲苦笑，然後慢條斯理地告訴我，原來他是被騙到腦科的。他說：「當年我申請到兒科，院方告訴我：『暫時沒有空缺，你先到腦科工作……，兒科有空缺便調你去好嗎？』」他稍為停頓，好像嘲笑自己那麼容易相信人。

他又繼續說：「多年來，兒科有空缺，卻沒有我的份兒，原因是腦科醫生真的不足夠。現在，我每隔三天便要當通宵更（即二十四小時當值），把私人的枕頭和棉被都放在醫生室裡。腦科醫生上法庭的機會較其他部門的為多，所以很多醫生都不喜歡到腦科工作啊！那麼多病人求醫，難道我真的可以置之不理嗎？」

時至今日，我仍然忘不了 W 醫生無奈的神情。

禍從天降

護士長正在巡視骨科病房，收到突發通知。她匆匆離開，趕到腦科病房。後來我才知道，當日發生一宗嚴重傷人的悲劇，這真令人氣憤難平。

一個十四歲少女，途經旺角登打士街家樂商場外，看見一群穿著奇裝異服的少男少女。他們在街上大聲喧譁，旁若無人。她好奇地瞧了他們一眼，那群人立即怒目而視。其中一人走到少女身旁，呵斥地說：「看什麼？有什麼好看？」語音未落，惡少年用手在少女的頸部輕輕一揮，然後匆匆離開，他的伙伴也紛紛作鳥獸散。

少女還未及反應，頸部傷口已血如泉湧，瞬間她倒地昏迷。

途人立刻報警，少女被送到急症室時已氣若游絲，經過緊急搶救，隨即送往腦外科留醫。警察向目擊者查詢事發過程，立案追查在逃人士下落。醫院公關亦要向政府新聞處報告，還要應付記者的查問。

少女的頸部大動脈被刀片割斷[註8]，失血過多，導致腦部嚴重缺氧。醫護人員盡了一切的努力，希望把她從鬼門關拉回來，可惜悲劇還是發生了，少女終告不治。當天，整個病房都充滿愁雲慘霧。

這是典型的法庭案件，當值或主診醫生要到法庭，講解遇難少女送到醫院時的狀況和死亡的原因等。

我在醫院遇見過太多無良的青少年，所以我管教孩子很嚴厲，怕他們成為社會上的害群之馬。

註8：小偷習慣把刀片藏於指甲內。

自勉

目睹不少生離死別，天可見憐！

多少年後，心裡仍然惦念。

世間事，有悲有喜自是理所當然！

可是，何解？何解？總是苦多於甜？

天在變，地在變，人情冷多於暖！焉能期望月可常圓？

心不必太亂，靜觀寰宇，風雲雨露，何妨昂首步前。

誰之過

一般而言，沒有父母不疼愛自己的子女，為人父母者會盡心盡力培育孩子，希望他們長大成才。有時希望愈大，失望也愈大。近日報章報導，兒子斬傷父母，甚至殺害雙親，然後藏屍在電冰箱內等倫常慘案，真的讓人心寒！究竟問題何在呢？

骨科病房曾有一位股骨頸骨折的婆婆，她容顏憔悴，身體虛弱，長期營養不良，患有呼吸道疾病和貧血。接受骨科手術後，她留院多日，可以出院了。婆婆卻告訴我們，沒有親人，我們只好通知社工跟進個案，尋找護養院或老人院收容婆婆。

某個傍晚，我目睹一個高高瘦瘦的男子，他探訪婆婆，只有三言兩句，便把婆婆的錢包打開，拿取她的金錢。我立即走到床邊，就問婆婆有什麼事，她支吾以對。我懷疑婆婆被搶錢，於是問那男子：「你是婆婆什麼人？」他不耐煩地說：「我是她的兒子。」我看看婆婆，她沒有否認。男子一句問候也不說，拿著錢便立刻離開。

我看見她的兒子瘦骨嶙峋，面無血色，肯定他是癮君子。我問婆婆：「為什麼你說沒有親人呢？」她不發一言。我又說：「你的兒子是吸毒者，是嗎？他不照顧你，為何你還把綜援金和傷殘津貼，給他拿去吸毒呢？你認為順從他，遷就他，是幫助他嗎？」婆婆老淚縱橫，我拿紙巾給她抹拭淚水。她無奈地說：「哪有什麼辦法？我不給他錢，一個月也見不到他一面呀！」

婆婆是慈母，掛念兒子，唯有以金錢換取「親情」！她的兒子已屆中年，不要說照顧母親，回饋養育之恩，還要拿母親的錢去吸毒？兒子不只不孝，更是害群之馬，是社會的渣滓！母親是否也應當反思，為何兒子會如此呢？還有社會上出現令人唏噓的倫常慘案，究竟是誰之過呢？

癮君子

癮君子是骨科病房常客。這類病人多數自行注射毒品，因為處理不當，所以導致傷口發炎或手腳潰爛而入院。他們得到必需的治療，當情況穩定後，多數會偷偷離開病房，繼續幹非法勾當或去吸毒，從不理會自己的行為會給醫護人員帶來麻煩。

凡遺失病人，病房主管要寫報告，詳述事情的來龍去脈，還要追尋病人的下落。病房的常規工作已經超出負荷，如果再遇上這類不負責任的病人，更是忙上加忙。我們都不喜歡這類病人，可是又不能拒絕接收他們，只好提高警覺。他們入院時，我們先作警告和安撫；他們入院後，我們多加留意他們的行動。

某日，我接到急症室電話，要接收一個傷口潰爛的病人。病人服務助理帶著病人到病房。他瘦骨如柴，臉色黃黃黑黑，舉止猥瑣。我不用看他手臂上的針孔，肯定他是癮君子。我問他：「吃慣多少？」他還想裝蒜，反問我：「什麼吃慣多少？」我冷冷地說：「香港沒有多少間公立醫院，你說明每天要吸毒的份量，我告訴醫生處方美沙酮給你，假如份量不足夠，你可以告訴我，我通知醫生給你增加份量。千萬不要自行離開醫院，否則我通知急症室，把你列入黑名單，你以後都不用再來這間醫院。」

醫院是沒有黑名單的，我只是騙騙他，希望他不會趁機偷偷離院去吸毒而連累主管。他果然立即實話實說，我也如實告知醫生，醫生處方美沙酮給他，囑咐他在必要時才可服用。他的手臂和臀部滿是腫塊，手腳針孔斑斑，這都是注射毒品的後遺症。

這個病人經過我的安撫和警告，果然沒有偷走，直到醫生簽紙批准才出院。

產房當值記

我在公立醫院護校修讀三年制註冊護士課程和一年制助產士課程。課堂理論和工作實習交替進行，讀書辛苦，工作更辛苦。

當年攻讀助產士課程，我真的很累，功課壓力大，工作量和工作壓力更大。我經常忙得連進餐時間也沒有，尤其是處理產婦產後流血不止，更不能掉以輕心。

我曾經親手接生數十條新生命，也曾經處理初生嬰兒的工作。出生時，他全身滑溜溜，被鮮血、胎液和油脂包裹。我為他抽取喉嚨內的黏液，聽到他呱呱大哭，檢查他的身體，然後遞給他的母親確認性別，把膠帶[註9]繫於嬰兒的手腕和腳上，男嬰用粉藍色膠帶，女嬰用粉紅色的，以資識別。並為初生兒打腳印存檔。我為他清潔身體，看著他惘然而好奇的眼神，頓感歡欣無限！

當年產房分為正常和異常兩種，正常產房收正常的個案，異常產房則收雙胞胎、多胞胎、畸胎，或患病產婦。

我工作的公立醫院規定，助產士學生在正常產房值班，要輪流接生。接生後，她要為產婦檢查產道，取出胎盤，縫補傷口。

當年，我是助產士學生，在正常產房當值。某日下午三時多，其他同事到休息室喝下午茶。我負責接生，另一位同事留在產房協助，為嬰兒抽取喉嚨黏液、戴標籤和清潔。

產婦在產前檢查時，一切正常。大約四時，產婦子宮頸全開，我鼓勵她配合呼氣吸氣用力，嬰兒很快順利出生。我打算取出胎盤時，驚心動魄的一刻出現了！這一幕，多年來仍然縈繞我的腦海中！

我把嬰兒交給同事後，便檢查產道，發覺找不到胎盤，卻發現有另一個球狀物體。原來還有新生命等待著到這個花花世界，我意識到危機來臨，立即走到產房門口，向休息室方向大喊：「快來幫手！是 twins 啊！」

幾位同事從休息室跑回產房，並立刻通知醫生，醫生趕快回來接手。產婦太累，力不從心，胎兒仍然留在母體。最後，醫生要用真空吸引術，才能取出胎兒。同時，兒科醫生也到來，為新生兒檢查。嬰兒幸好安然無恙。醫生取出胎盤後，發覺產婦流血不止，我們又要忙著搶救，為她輸血，注射藥物……，忙得不可開交。最後，我們的努力沒有白費，母子平安。

註 9：內藏紙條寫著 XXX 之子 / 女。

醫療疏忽

我在公立醫院工作十多年，看到一些制度上的轉變，也體會到人性的弱點。

當我還是助產士學生的時候，產前檢查存在很大的漏洞。孕婦到醫院檢查，初期每三個月一次，臨近產期才每月一次。很多孕婦嫌等候時間太久，才見到醫生，只在產前到醫院檢查一兩次，她們認為開了檔案，分娩時床位有保障，所以便爽約不做產檢，導致很多問題都是孕婦在生產時才發現，這是人的惰性和無知所引發的。家母直言從不做產前檢查，臨盆前才去醫院。由此可見，當時的孕婦大多忽視產檢的重要。

其次是醫院設備不足。我在門診協助醫生為孕婦檢查，只有一個半圓筒形的胎兒聽診器，靠經驗聽胎兒的心跳是否正常。如果孕婦體型正常，腹部不是特別大，她又沒有多胞胎的家族史。一般而言，我們不會安排孕婦照X光的。當時也沒有超聲波檢查，醫生只挑選患病孕婦到異常產房。產檢沒有發現雙胞胎也就不足為奇。

我在正常產房接生胎兒後，發覺還有另一個，真的很驚慌！因為產婦生產多胞胎，產後出血的機會很大，嬰兒也需要特別照顧。如果產檢發現孕婦懷雙胞胎，她需要在異常產房分娩。產科醫生負責接生，準備隨時應付突發事情。兒科醫生也會到產房，檢查初生嬰兒的身體狀況。

社會進步，一般人的知識水平提高，他們都了解產前檢查的重要，現今幾乎所有產檢都會做超聲波檢查。

凡有醫療事故，傳媒必會大肆渲染報導；有些律師行專門替病人打官司，向涉事醫院索償。院方當然希望員工加倍小心，盡量避免醫療事故發生。

為了方便管理，醫院產房現在已沒有正常和異常之分了。

情痴醫生

情痴醫生，同事們都稱呼他為「才叔」。他非常盡責，醫德醫術均好。可是，一些遭遇改變了他的信念。他仍盡責，卻熱情不再，他的經歷令人惋惜！

當年我在公立醫院任職時，遇到的工作伙伴，多數都是不怕吃虧，習慣超時工作，醫生和護士衷誠合作，恍如一個大家庭。

如果產婦發生危急情況，當值醫生未能及時趕來，才叔還在醫生房，就一定二話不說，立即為產婦診治，完全忘記自己已經下班了。

情痴醫生醫術高明，經驗豐富，受到大家的敬重。他住在醫院旁邊的醫生宿舍。他非常盡心盡力，下班後還經常返回產房巡視。

才叔默默耕耘多年，醫院打算保送他到外國深造，讓他獲取符合晉升的資格。可惜才叔捨不得離開任職教師的太太，甘願放棄進修的機會。每天下班後，他會回家接太太，牽著她的手一起到醫院餐廳吃晚餐。

光景流逝，才叔看著身邊的同事都晉升為高級醫生，學弟更成為自己的上司，才叔感覺不是味兒，漸漸地對醫院的歸屬感消失了，決定出外闖一番事業。

才叔要離開產房，大家都捨不得他。畢竟天下無不散之筵席，同事們都衷心送上祝福。

想要成就事業，單憑本領是不足夠的，更重要的是運氣！才叔便是缺乏上天的眷顧。他在旺角的診所，飽受黑幫騷擾，被迫進行非法墮胎手術，提供違禁藥物等。即使報了警，他還是每天過著膽戰心驚的生活。他經過一番心理掙扎，決定向命運低頭，放棄鴻圖大計，平平淡淡地度過餘生。

情痴醫生重返醫院任職，雖然他有能力勝任高級醫生的職務，但是他欠缺一張認可的證書，因而未獲晉升。多年後，我們依舊會在醫院餐廳遇到他和太太，他倆仍然手牽著手，可是昔日的光彩已不復見，他下班後不會再返回產房巡視了！

究竟是黑社會分子嚇怕了他，令他對社會絕望？還是醫院的制度令他感到失望？情痴醫生為了不想承受別離的痛苦而失去進修和升職的機會，究竟他曾否後悔呢？

我敬佩的梅姑娘

梅姑娘是我的上司，我和她在骨科病房合作數載，我目睹她處事的作風，更從她的同學口中，得悉她年輕時被醫生追求的往事。

梅姑娘樣貌標緻，肌膚白裡透紅，屬一級天然美女。她性格豪爽、果斷、有承擔，工作效率高。美貌與智慧並重。

我認識梅姑娘時，她已快到不惑之年。除了身型略為肥胖外，她仍然是魅力四射，還有醫生向她獻殷勤。由此可知她年輕時，拜倒石榴裙下的人肯定不少。梅姑娘擇偶要求甚高，即使很多醫生花盡心思，都未能締結良緣。梅姑娘從來沒有真正墜入愛河，一次不快的經歷，令她更看不起男人。

梅姑娘的追求者眾，年輕英俊的醫生 Y 是其中一位，曾獲得伊人青睞。Y 不斷寫字條邀約，佳人開始心動。兩人首次約會，先去看電影。離開電影院後，Y 溫柔地問：「晚餐想吃什麼？」梅姑娘很爽快地回答：「我們去吃牛排。」Y 不假思索便說：「很昂貴啊！」她心感不快，隨即回應：「不吃了，我先回家！」Y 知道得罪佳人，立即賠個不是。梅姑娘是說一不二的人，主意已定，她就不會改變，便獨自回家了。此後，無論 Y 如何道歉，多次約請，梅姑娘都無動於衷，對其他追求者，也不加理會。

梅姑娘的同學告訴我這些往事時，我好奇地問：「為什麼梅姑娘因為醫生 Y 一句『很昂貴啊』，便放棄大好姻緣呢？」原來，梅姑娘觀人於微，她告知同學：「第一次約會他便如此吝嗇，這樣斤斤計較的人不要也罷！」從這件事情可以看到，梅姑娘聰明，自信和果斷的性格。

在我任職的醫院裡，凡是認識梅姑娘的人，都知道她的豪爽性格。如果她當下更，一定會買食物回醫院，給同事在下午茶時段享用。她喜歡買龍X蛋糕，這是昂貴品牌的食物，我初時沒有留意，只知道她買來的食品都很美味，直至同事告訴我，梅姑娘買的食物絕不便宜，全是龍X產品。

梅姑娘有一個眾人皆知的嗜好——打麻將。她的牌品非常好，很多人都喜歡與她竹戰。她有幾個固定麻將友，有同級的病房主管，也有註冊護士。由於病房主管可以優先揀選假期，所以她和「戰友」約定放假日期，在休假日展開「攻防戰」。

梅姑娘告訴我，有一次她和麻將友都是當早班，翌日放假。下班後，她們一起喝下午茶，然後到陳姑娘的別墅打麻將。晚餐後大家約定打通宵麻將，誰也不准睡，最後只有一人仍然精力充沛，其餘三人都要舉手投降。梅姑娘談到這些假日娛樂，眉飛色舞，這可見她真的很享受與同事的聚會活動。

偶爾，她們喜歡邀約其他同事一起聯誼，我曾參與一次。下班後我們到達酒家打雀局，晚上吃各款潮州美食，最難忘的是每人一盅菜膽排翅，魚翅又粗又大，非常美味。凌晨二時，酒家前門已上了鎖，我們「攻打四方城」後，要由後門離開。我並不習慣熬夜，所以沒有再參加她們的活動了。

梅姑娘把每次的輸贏記錄下來，一個月結算一次。某日下午，她和我都是當值下更。在下午茶時間，梅姑娘結算輸贏後，告訴我：「這個月我輸了八千五百元。」嘩！當時我的月薪只有一萬多元，她竟然輸了八千五百元！她看到我一臉詫異的表情，笑嘻嘻地說：「打麻將需要四個人，有三個人陪我玩，我也應該交些娛樂費啊！」她輸錢毫不介意，只要玩得開心就行，這讓我明白，為什麼她每次放假，總有人陪她打麻將。

梅姑娘辦事能力強，效率高，曾多次收到升遷通知，這都被她拒絕。一般人都期望升職加薪，為何她卻反其道而行呢？她解釋說：「如果我升職，便要離開病房，返朝九晚五的寫字樓工作。那麼，還有人陪我打麻將嗎？她們都是下午二時半下班，三時多已經可以『開枱』了，我要五時才放工，誰會等我呀？況且我升職後，別人也可能不想再與我打麻將，擔心被人誤會巴結我。」

梅姑娘拒絕升職，原來是為了打麻將。不過，我認為她有另一個原因：她喜歡病房的工作，勝過行政的。我們照顧患者，目睹他們痊癒，這種滿足感筆墨是難以形容的。

醫院有一套升遷制度：服務達到一定年資，工作表現良好，便合符晉升資格。梅姑娘有大將之風，處事決斷，她的同學也升為護士長，位列管理階層了。她再次收到院方通知，將要升做護士長，在辦公室工作。梅姑娘知道這是最後通牒了。她告訴我們，如果院方堅持要她晉升，她便辭職；如果院方能收回成命，她會宴請我們大吃一頓。

我們知道梅姑娘的性格，她是言出必行的人。我們都很擔心會失去一位好上司。醫院方面認為梅姑娘獨斷獨行，她不依既定行規，不服從院方指令，這是院方不能接受的。然而，強迫梅姑娘升遷，有機會弄巧反拙，導致失去人才。院方於是提出一個條件：梅姑娘要寫「永不後悔的聲明」，這樣她便會永遠不獲升職。

梅姑娘收到通知後，二話不說立刻寫了「聲明」，然後交回醫院管理層。

她信守承諾，為了慶祝自己不用升職，在某海鮮酒家，設宴款待各同事，大家吃了一頓非常豐富的午餐。

我離職多年，仍跟骨科病房的舊同事保持聯絡。在一次聚會中，P 姑娘告訴我梅姑娘仙逝的消息，這令我非常難過。

梅姑娘家境富裕，住在半山區三千呎的豪宅，擁有多輛的士，還有祖傳價值不菲的首飾。然而，她從不炫耀個人財富。我是在她過世後，從她的知己口中得知她的家世。

梅姑娘在骨科病房工作多年。她負責任，疼惜病人，凡事親力親為，例如她餵食不能自理的病人，為患者抽血、注射靜脈輸入等，都不會迴避。舉凡病房出了事故：病人失蹤醫護人員要寫報告，即使是其他同事疏忽，她都會一力承擔。她全心全意地工作，為病人服務，是真正的白衣天使。

梅姑娘在產房任職數載後，不幸患上癌症，不久便病逝了。她的人生只有四十多個寒暑，卻留給我們無限的懷念和惋惜！

鶼鰈情深

愛情令人嚮往，令人陶醉，也令人傷感。愛情是無數詩詞、小說、戲曲和電影的題材。差不多所有少女都曾有豆芽夢，期待與自己的真命天子廝守終老。「死生契闊，與子成說。執子之手，與子偕老」註 10。然而，理想與現實總有一段距離，離婚的個案不可勝數，即使沒有離異的夫婦，感情平淡如水，比比皆是。夫妻鶼鰈情深，忠貞不渝，確實是難能可貴。

我在內科病房工作時，曾經遇見一位老人家，他對病入膏肓的妻子不離不棄，讓人動容。

每天的探病時間是下午三時至六時，陳婆婆的丈夫總會準時到達醫院，風雨不改地探望妻子，為她清潔身體，然後坐在床邊，情意綿綿地看著她。這是一幅溫馨動人的美麗圖畫，「執子之手，與子偕老」的真實個案。

陳婆婆已經失去認知的能力，身體虛弱，快到生命的盡頭。幸好她還有一位癡情無限的丈夫。

某天下午，我看見公公依時到達醫院，他一如既往，照顧婆婆。我問公公：「你們有沒有子女呢？」他說：「沒有。」我又問他：「你知不知道婆婆已經認不到你？」他平靜地說：「我知道她認不到我，只要我認得她便可以了。」我再問他：「你們住在哪裡？」他回應我說：「我們住在李鄭屋邨幾十年了。她入院後，我每天步行一個多小時來到醫院。探望她後，我也是徒步回家煮飯吃，我要好好保重身體，不要讓她為我擔心，這是我們雙方的承諾。」

聽到公公的話，我心頭一震，看著眼前高高瘦瘦、斯斯文文和

充滿柔情的老人家。他頭髮稀疏，滿臉是歲月痕跡，他卻是我見過最英俊瀟灑的公公。

我問他：「為何要徒步來回醫院呢？每次步行一個多小時，會否太累呢？」他說：「我們小戶人家，開支可省則省啊！」

他對妻子信守承諾，情深義重，如此高尚的情操，真值得我尊敬！

註 10：原本描寫的是戰友之間的約定，要一同生死，永遠在一起。現多用來形容愛情的永恒。《詩經 · 邶風 · 擊鼓》

無怨無悔

任何職業都有工作壓力，醫護人員尤甚！醫療服務關乎人命安危，必須時刻謹慎，不容有失。醫護人手不夠，工作量大，導致工作壓力更大。

當年我任職的骨科病房，曾經住了一百一十二位病人，正規病床只有七十二張，不敷應用，只好在病床、走廊和洗手間旁邊都加設帆布床。由此可見我們的工作量是多麼繁重！

骨科住院病人由四位醫生負責，很多時候人手不足，早更只有三名註冊護士當值，如何分配工作呢？當然有人要做兩份啦！這護士要跟隨兩位醫生巡房，承擔比別人多一倍的工作量。我在骨科病房工作了數載，駕輕就熟。凡是最早和最遲來的巡房醫生，我都主動負責。還有新收的患者，多數由我處理。這是由於我熟悉病房大部分病人的情況，方便安排新入院患者的床位。例如，病人入院接受手術，需要安排有氧氣和可調校病床的位置，鄰床病人身上不可以有潰爛的傷口，以防交互傳染。

有一位同事與我是鄰居。每當早更，我們會相約一起乘坐的士上班。同事遇見我丈夫，會跟他開玩笑，誇説我一個人做三個人的工作。丈夫擔心我太辛苦，多次要求我辭職去協助他打理生意。

小六作文堂寫「我的志願」時，我便立志成為護士，照顧病人。由於這個心願，我不怕辛苦，不怕壓力，不怕吃虧，總是全心全意地在病房工作。某天，我脱了兩隻智慧齒，牙醫給我兩天病假，我婉拒了。他查問原因，我告訴他，病房人手短缺，我放了病假，同事便要替我完成工作，我不想給別人添麻煩。

某日下午三時五十五分，我下班返回宿舍途中，遇見護士長馮姑娘，她問：

「美雲，返八四嗎？」（八四：8:00am 至 4:00pm）。那一刻，我深感委屈和難過，眼淚奪眶而出。我回答：「我當早班。」（早班：7:00am 至 2:30pm）我超時工作而非早退。

當年，我們長期超時工作，沒有金錢補貼，也沒有補假安排，卻從不計較，只希望完成醫護人員的職責，為病人服務，無怨無悔！

彈性處理

醫護人員應有個人操守，做事要認真，除了擁有專業知識外，還要對病人有關愛之心，才能應付繁重的工作而不覺厭煩，否則很容易出錯，或會導致難以彌補的遺憾。當你有豐富的病房工作經驗時，你便會知道何事應該循規蹈矩，何事要網開一面。

二十六歲的P患有末期肝癌，要定時注射嗎啡止痛，所以不能回家度歲。

即使工作忙碌，我仍然注意觀察病人的情緒變化。P總是沉默寡言，悶悶不樂。我看到他憂鬱的眼神，希望能做一些小事，讓他在短暫的生命中感受人間溫暖。

農曆年三十的晚上，我完成病房工作後，走到P床邊，跟他閒聊，詢問他還有什麼未了的心願。他坦白直說：「每次過年，我最喜歡吃油角。這是我過的最後一個農曆新年，醫生卻告訴我，我只可以吃些清淡的食物。家人就不會帶油角給我，你可以幫我嗎？」

P以懇求的眼神看著我，我不忍心拒絕。他已是油盡燈枯，我們為何不能讓他完成最後的心願呢？我立即點頭答應，也要求P保守這個秘密。

翌日，我當下更（2:30pm至10:30pm），在家中拿了幾件油角，偷偷給了P。P開心極了，悄悄吃油角，臉上露出喜悅的表情。

我不知道他對家人說了些什麼，他的母親竟然給我利市，我立即婉拒，並且告訴她醫護人員的守則——不可收取病人或家屬的禮物。

不久，我返回護士學校上理論課，不用看著P離開這個塵世。至今，我仍然記得的是他充滿感激和欣喜的神情。

以上事件，雖然違背醫生的指示，但是規則之外是人情。醫護人員能夠兼顧病人的感受也非常重要。彈性處理病人的要求，完成他的心願，這是我難忘的回憶。

雲泥之別

內地醫生的專業資格在香港不獲認可，他們有些會到我任職的醫院實習，再通過考試，成為香港註冊醫生。方醫生是其中一位。

方醫生身形高大，圓臉，單眼皮，鼻子高，嘴唇厚。他脾氣好，人品不錯，總是笑容滿面，有些似笑口佛。

他可能放下書本太久，學習能力下降，英文程度較差。他初時書寫病歷，常有錯漏。他是主診醫生的助手，職責包括：填寫檢驗表格，詢問新收患者病史，還要幫病人抽血，注射靜脈輸液。他實習一段時間後，主診醫生便讓他嘗試為病人處方，然後檢視藥方，簽署確認。

主診醫生巡房後，會去手術室為病人施手術，或到門診部看病。方醫生在病房工作，就沒有導師從旁指導。他在開藥方時總是誠惶誠恐，深怕做錯事影響前途。我在骨科病房工作資歷較長，發覺他有任何錯漏，會盡量提點，因此他視我為朋友，甚至告訴我他以往的經歷。

原來方醫生在內地是某醫院的院長。他的醫科畢業證書在香港不被承認。他為了糊口，做了數年小販，在街頭賣牛雜。他住的是板間房。為了追求理想，他甘願放棄尊貴身份，移居香港，重新開始。

方醫生在內地任職醫院的院長，來港後做小販，身份是否有雲泥之別呢？每個人的價值觀不同，只要不影響別人，不傷害別人，人人都有追求理想的權利。

大笑姑婆

「大笑姑婆」是我的師姐，身高不超過五呎，身形肥胖，頭髮烏黑捲曲，雙眼炯炯有神。每次見她，她總是笑容可掬，笑聲響亮，為人樂天知命，做事慢條斯理。我認識她時，她在護士宿舍當舍監。我成為註冊護士後，過了不久便修讀助產士課程。為了方便讀書，我申請宿舍，由「大笑姑婆」安排房間。

舍監的工作壓力較輕，所以多由患慢性病（例如血壓高、糖尿病等）的註冊護士擔任。因涉及私隱，我沒有詢問「大笑姑婆」身體是否有問題。醫院規定，當護士患慢性病的病情受控，仍要調回病房當值。

我在骨科病房工作數載後，「大笑姑婆」就調過來。我看見她大腹便便，詢問她是不是懷孕，她哈哈大笑數聲，說：「是呀！」我於是告訴病房醫生：「徐姑娘懷有身孕，請你們儘量不要讓她推巡房車[註11]！」所有醫生都非常合作，巡房時親自推巡房車，病房各人都對徐姑娘照顧有加。

數月後，我發覺徐姑娘的腹部沒有什麼變化，於是就問她：「妳是否真的懷孕呢？」她仍然嘻皮笑臉對我說：「我坐巴士都有人讓座呀！」我才知道被她戲弄了。

「大笑姑婆」結婚數年後，終於真的身懷六甲。當年，公立醫院婦產科資源不足，求診的人數又很多，因此產前檢查只由助產士學生負責。他們為孕婦量血壓，檢驗尿液，以確定孕婦有沒有血壓高、糖尿病或蛋白尿，聽診胎兒心跳是不是正常，把檢查的結果記錄存檔，再由醫生查問孕婦病史以及有否任何不適等。如無異狀，醫生給予維生素和鈣片，告知孕婦下次檢查日期，這便完成產前檢查。醫生沒有察覺孕婦有任何異常的情況，就不會照X光。所以胎兒出生時，很多問題才會發現。即使「大笑姑婆」是醫院護士，也是作同樣的產前檢查。護士唯一的福利是臨盆時由醫生接生，產後可享用一間護士專用的雙人房。

「大笑姑婆」懷孕後已經調離骨科病房，當時我們私下沒有聯絡，我是從她的同學口中，知道她不幸的遭遇。

產前檢查時，一切正常，「大笑姑婆」打算自然分娩，這是她的第一胎。她將要臨盆，立即入院。在產房內，醫生鼓勵她盡全力把孩子生出來，胎兒的頭髮見到了，胎兒卻停留在產道，總是出不了來。時間一分一秒地過去，胎兒的生命危在旦夕。

這時醫生發現一個關鍵問題。原來「大笑姑婆」的盆骨狹窄，胎兒的頭骨開闊，因此胎兒的頭部無法通過產道。產科術語稱為「頭盆不相稱」。醫生立即為「大笑姑婆」剖腹取出胎兒。她接受完會陰切開術，腹部又挨一刀，她真是可憐啊！兒科醫生趕來檢查初生兒的情況。嬰兒的性命雖保得住，腦部缺氧一段時間，影響發育成長，學習能力較為遲緩。

多年後，我們又在同一病房當值，她仍然樂觀開朗。她輕鬆地說：「我的女兒讀書成績不佳，但是唱歌很好聽；女兒背書背不進去，但是背誦歌詞又沒有難度啊！」然後她又哈哈大笑，一連串清脆笑聲充斥病房。不久，「大笑姑婆」終於辭去護士工作，專心照顧女兒。

某年暑假，我自組旅行團到四川九寨溝、黃龍、都江堰、杜甫草堂、三星堆等地遊覽。「大笑姑婆」伉儷和女兒都是該團團友。在旅遊車上，我們總是聽到「大笑姑婆」的笑聲。她笑著對我說：「每次學校考試，女兒都考最後一名，丈夫講出自己的見解：『考試必定有人考第一，有人考倒數第一，只是我們的女兒肯吃虧而已！』丈夫的豁達，讓我感覺幸福，考試好又如何，最緊要的是保得住性命呀！」

「大笑姑婆」的話對我當頭棒喝，我做事太認真，不容易快樂。她經歷過生死關頭，曾險些失去女兒，所以她懂得珍惜。我們離開了醫護界後，反而常常聚會，我喜歡聽到她的笑聲。

註 11：當年的巡房車是用木做的，放著文件、檢驗紙和儀器，所以重量很重。

美好的回憶

中學校長在我的紀念冊贈言："Whatever you do, do the best"。自此以後，凡事我都盡力而為。

醫護生涯中，我在產房的歲月是最感欣慰和最開心的。因為我學會一種用手打結的技巧，在接生後為產婦縫合的傷口，患處全都癒合良好。

女性產後造成撕裂的傷口，一般癒合時間較長，疤痕也會參差不齊。醫護會根據產婦的需要，在分娩前進行會陰切開術[註12]。尤其是首次生育的婦女，都要動這種手術。傷口整齊一些，既減少出血，又方便癒合。當嬰兒順利出生後，醫護剪斷臍帶，取出胎盤，檢查產道，確認沒有異物，就要為產婦縫合傷口。

我修讀助產士課程的時候，導師教我們使用鉗子控制針和線縫合患處。實習時，某醫生在縫合傷口的過程中用手打結，既快速又整齊，令我大開眼界。我於是向他討教，他很樂意傾囊相授。從那天開始，我在宿舍房間的床尾欄杆長期掛著一條尼龍線。我在宿舍溫書時，眼看書本，手做練習。只要有空，我就勤練打結，掌握竅門，熟能生巧。

從此以後，我在產房完成接生，處理後續的工作，幹起來得心應手。我曾經試過在數小時內可以為五個產婦接生，因為用手打結，縮短縫合患處的時間。我會記錄所有由我接生的產婦資料，在她們拆線的日子，專程去檢查傷口。傷口癒合的情況理想，她們明白我盡心盡力，充滿感激的眼神。每當我看到一條幼細和平伏的疤痕時，那種滿足感絕非筆墨所能形容。

事隔多年，我仍然感恩遇到這位良師，他教我用手打結的技巧，既能幫到產婦，又留給我美好的回憶。

註 12：這是一種剪開會陰的手術。會陰是陰道與肛門之間的軟組織。分娩時，胎頭在產道進展的過程中發生擠壓作用，會陰因而更加脆弱，容易造成撕裂，所以施行會陰切開術是避免出現軟組織撕裂的情況。

生育的危機

母親曾告訴我，生孩子處於生死一線間。她或許遇見太多產婦死亡的事故，所以有這種想法。我在產房工作，沒遇過這種個案，產婦產後出血的情況則屢見不鮮，幸而都是有驚無險。

在醫院，突發事件常有發生；在產房，意想不到的事情也有不少。例如：胎兒太頑皮，在母親的子宮內翻筋斗，因而引致胎位異常。正常胎位是頭部向下，分娩時頭部先出，胎兒通過產道出生。我曾經見過臀部、腳部或手部先出產道，這情況便危險多了，既延長生產時間，又可能導致難產，因而危及母嬰性命！

最危險的是胎兒頸部被臍帶纏著，因而導致窒息，這情況又防不勝防。如果不能及時察覺，常會造成胎死腹中。這情況我在產房見過數次，胎兒剛出生時，全身呈現藍灰色，非常恐怖。我們會用聽診器聽胎兒的心跳，以確知其健康狀況，發現心跳異常，便要立即通知醫生為產婦取出胎兒。

異常產房的走廊，放著各種畸胎的標本，例如：連體胎——有兩個頭，兩個身體，身體卻連在一起；又有一個身體兩個頭，兩手兩腳。我每一次經過異常產房的走廊，都會加快腳步，因為我對畸胎有種莫名的恐懼感。

每次，我生孩子後，第一句問的不是嬰兒的性別，而是查詢嬰兒是否一切正常。

保護病人的制度

醫科學生畢業後，成為醫生，受聘於公立醫院，都會被派到不同病房當值，診治病人。為了保障病人的安全，避免初級醫生經驗不足而做成誤診，或者某些人為疏忽，醫院也會有一套保護病人的機制。

首先，每日的當值醫生由一位初級與一位高級醫生負責，以策萬全。

其次，每星期有兩次「大巡」。「大巡」是所有該科醫生齊集，跟隨顧問醫生巡視病房內所有病人。由負責的醫生交代病人的情況和治療的方法，如果顧問醫生發現有任何問題，會立即糾正，甚至責備負責的醫生。誰沒有自尊？尤其醫生是專業人士，有差錯而被責罵，顏面何存呢？因此，初級醫生當值時都不敢馬虎，有疑問必定請教高級醫生。誤診的機會較少，病人較有保障。我在骨科任職六載，見證了三位顧問醫生「大巡」時的態度。其中，顧問醫生 T，個子矮小，卻很有氣勢。他在「大巡」時雙手交叉抱胸，細聽病房醫生如何診治病人，發現有任何不對的地方，馬上用英語破口大罵。

最後，每天早上八時半，所有醫生齊集醫生房。昨天的當值醫生，向顧問醫生或高級醫生交代新收患者的診治情況。如有任何缺失，昨天的當值醫生立刻會被糾正，甚至可能遭當眾斥責。所謂殺雞儆猴，誰人看到別人被罵，都會提高警覺，小心翼翼地診治病人。

我任職的骨科病房，由於醫生悉心照顧病人，醫療事故很少，因此頗負盛名。求診的病人很多，我們的工作量自然會增加。至今我仍然慶幸曾經在骨科工作，這讓我的醫護生涯充滿色彩。

永遠的朋友

醫生和護士是服務病人的團隊，都可以成為好朋友。

M是非常負責任的醫生，他和我一起在骨科病房工作，待人處事的價值觀相同，我們都重視病人的感受，盡心盡力地為病人服務。即使分別多年，他已經移民英國，我們仍然保持聯絡。

當年，每天早上八時半，骨科醫生開會研討新收個案，然後才去巡視其他病人。如果醫生要在九時到手術室做手術，則會在七時半左右來巡房。這是病人的用膳時間，護士會餵食不能自理的病人吃稀粥，M醫生來巡房，看見病人未吃完早餐，也會走過來幫忙，可見他疼惜病人。

我懷孕期間，不想麻煩其他同事，幫我做粗重的工作。某天早上，M醫生來巡房，看到我和病房服務助理正合力把病人抬到抬床上，他匆匆過來幫忙。巡完房後，他要為出院病人寫藥單、病假紙、物理治療信等，醫生們習慣坐在護士辦公桌前寫文件。由於椅子不足，我多以巡房車當作桌子使用，站著寫病人記錄表[註13]。我每次跟M醫生巡房後，他總是堅持要我坐在椅子上做文書工作，自己就站著寫文件。他勸導我說：「你忙了一個早上，自己不休息，腹中胎兒都要休息呀！」他對我非常照顧。

來港工作一段時間後，他漸漸懂得講幾句廣東話，開始嘗試與病人溝通，例如，他說：「阿婆，有乜嘢唔舒服呀？」每次我聽到他說廣東話，都感到非常高興。即使他的口音並不標準，病人大多都聽不懂，要我複述他的話，他還是不斷嘗試直接與病人溝通，以示關懷。

我放產假後，M醫生多次打聽，問：「劉姑娘是否已生孩子？」同事詢問他是不是想送東西給我，M醫生回應：「是呀，我已經買了一份禮物給她的孩子，你可不可以代我交與她呢？」

幾位同事來探望我，還帶來M醫生的禮物，我感到意外。禮物很漂亮，是一張粉藍色的氈子，收據也在禮物袋裡。我想不到他如此細心，他在我們醫院附近的百貨公司購買時，告知售貨員是送禮的。假如我不喜歡藍色，可以憑收據來更換顏色。我放完產假後，返回骨科病房上班，親自向M醫生道謝。過了不久，M醫生的太太分娩，我和同事帶禮物去私家醫院探望，M醫生非常高興，禮尚往來也。

我在受訓的醫院任職多年後，被調往另一間醫院的骨科病房。我原本打算不動聲色地離開，可是我將要調職的消息給M醫生知道，他立即告訴顧問醫生，顧問醫生欲向護士行政部門提出取消計劃。我怕其他人以為我享有特權，所以我說服顧問醫生，按原定計劃執行。

我調往的是康復醫院，這屬於同一機構。我在骨科病房連續工作六年，剛巧康復醫院需要一位護士具備骨科病房工作的經驗，我自然是適當人選。我告訴顧問醫生，康復醫院的工作量較輕，薪金卻一樣，我可以休息一下。在一般的情況下，我調任一年後，便會調回原先任職的醫院。

顧問醫生親切地問我：「那裡交通不方便，你居住的地方有車到嗎？」我告訴他不用擔心，我會駕車上班。這樣，我便離開任職六載的骨科病房。

在康復醫院工作數月後，我仍不習慣這種悠閒的工作。同時，我的健康出現問題，丈夫建議我辭去護士職務。待身體康復後，我可協助他打理生意和照顧家庭。我幾經考慮後，才決定辭職。

我離職後，M醫生和家人移民英國。他告訴我，他尊重太太的意願，才會離開。他很喜歡香港，真不想移民。

我們一直保持聯絡，每次他回香港，我和丈夫都會盡地主之誼。二十多年前，他返回緬甸省親，途經香港探望舊同事，找我幫忙，陪他去買手信給在緬甸的妹妹，買針灸用品給他在英國的麻醉科醫生。購物完畢，我和丈夫宴請他吃海鮮。用餐之後，我們邀請M醫生來我家，大家閒聊至深夜，才依依惜別。他曾邀請我們到英國遊玩，我們可以住在他的家中。我卻不喜歡給人麻煩，只好婉言拒絕。

偶爾，我和骨科病房的同事聚會，相約打麻將。言談間，我才得悉M醫生寄聖誕卡給P姑娘（我們曾經一起工作的病房主管）。P姑娘對我説：「每年M醫生都會寄卡給我，我不懂英語（她自謙），勞煩你代我道謝吧！」每年我收到他的聖誕卡後，才記得買卡回禮，有時趕不及寄出，我會給他電話致謝，閒談近況。後來，我們用電郵聯絡。二〇二二年，我們改用 WhatsApp 聯絡，更加方便了。他的兩個兒子已經長大成人，一個在商界發展，一個在杏林貢獻。他在英國多年，做急症室醫生，終於退休了。

我們雖天各一方，友情卻不受影響，這正所謂「海外存知己，天涯若比鄰」。M醫生真誠地告訴我：我是他永遠的朋友。

註 13：記錄病人的病情和進展，醫生處方等。

公立醫院的醫生

公立醫院的醫生真的很辛苦，工作時間長，工作壓力大。我任職公立醫院的時候，慶幸遇到很多菩薩心腸、懸壺濟世的好醫生。

「大巡」是顧問醫生帶領全組醫生巡視病人的制度，除了可減少誤診，保障病人安全外，還可以臨床教導初級醫生，培訓人才。所以，「大巡」的制度在公立醫院很普遍，內科、外科、兒科等病房，都會定期「大巡」。

在我離職前，有一位骨科顧問醫生開創早上會診新收個案的規定，不過只有骨科病房能夠實行。

在外科病房，病人多數要接受手術治療。早上八時，醫生巡察病房，然後在九時進入手術室，為病人做手術。非手術日，他們也要到門診部診治病人，根本抽不出時間進行早晨會診。醫生悉心醫治病人，因而造成體力長期透支！

骨科病房的醫生，當然也不輕鬆。他們要輪流當值超過二十四小時，由早上九時至翌日早上九時前，都要負責診治新收的患者。下班前，他還要巡視病房的患者，給予適當治療或簽發出院文件。

在一個風和日麗的早上，吳醫生已連續當值超過二十四小時。值班的晚上，他收治多名因械鬥致傷的病人，整晚時間為他們施手術，縫補傷口，接駁斷肢，忙得不可開交。完成所有手術後，他還要參加早上會診，然後巡察病房。吳醫生是很有風度的，對病人好，對護士更好。

會診完畢，他來到病房，看起來疲累極了。他走到護士辦公桌前，推著一張辦公室活動椅去巡房。我認為，他帶著椅子可以方便隨時休息，誰知剛到病人床邊，他尷尬地說：「我以為推的是……」

我們都忍不住相視而笑。他竟然看不到我推著巡房車。公立醫院的醫生，真是太辛苦了！

吳醫生

吳醫生為人慈祥、聰明、負責任和有禮貌。我剛到骨科病房工作，他從另一間分院調過來。骨科病房經常收治因械鬥致傷的患者，吳醫生要通宵替病人施手術。他的年紀已不少，體力漸漸吃不消，他在骨科任職約四載，便轉到門診部，他的工作量才減低下來。他退休後，開了診所，還邀請了我和幾位同事，參加他的開幕酒會。

除M醫生外，吳醫生也是我的好朋友。他的年齡可以當我的父親，我們卻沒有代溝，還特別投緣。他可能太寂寞，將往事對我娓娓道來。

他結交了女朋友，會喜孜孜地告訴我，還把他倆的旅行照片給我看。他的女友希望移民加拿大，吳醫生卻不想離開香港，兩人最終分手收場。

我感到奇怪，他為何如此留戀香港呢？原來他是有所牽掛的。吳醫生於香港出生，在名牌中學畢業。父母深愛國家，把他送回內地讀書。他醫科畢業時，祖國的政策改變，導致他回不了香港，他只好在內地成家立業。

光陰荏苒，他已經成為父親了。這時，國家政策又轉變，他可以申請移居香港。他滿心歡喜地告訴妻子，打算一家人返回香港落葉歸根。怎料到冷水澆頭，他的妻子居然責罵他滿腦子資本主義思想，堅決要與他離婚。

吳醫生幾經考慮，決定先到香港，然後再游說妻子。可惜覆水難收，最後他們都是離婚收場。他向我傾訴，每次回去探望妻女，總是不歡而散。他購買電視機送給女兒，他的前妻拒絕接收，女兒竟然認為吳醫生拋棄他們，視父親如仇人。至此，我才知道：為什麼吳醫生的英文這般好，為什麼他那麼寂寞，為什麼他不想移民外國。

我離職後，偶爾相約同事探望吳醫生。他開心地告訴我們，女兒結婚了，他已申請他倆來港定居。現在他們共同生活在一起，我們都替他高興。兩年後，我們突然失去聯絡，他的診所竟結業了！

業餘理髮師

護養院的骨科患者，有些是做完手術轉過來做物理治療，但最多的是無親無故或親人不願照顧，只好送到護養院。因此，有些病人住了很多年。

我在女病房值班，大部分病人都到了耄耋之年，百歲人瑞更有三位。她們的頭髮很長，有些更長及腰部。我問同事說：「為何不安排理髮師為她們剪髮呢？」。同事回應我說：「院方定期有理髮師來為病人理髮，每人收費十五元，費用由院方支付。理髮師真的太馬虎，病人理過一次髮，都不肯再剪，所以她們的頭髮便愈來愈長。」

某日，我當早班，跟醫生巡房，並完成所有護理工作後，拿著剪刀問病人：「要不要剪髮？」同時，我向她們解釋，頭髮太長不易打理，也容易滋生頭蝨。有一位病人舉手，我立即為她剪髮。理完髮後，我拿來鏡子給她看，她非常開心，應當很滿意。

她身旁的病人，一個接一個地要求剪髮。到了午膳時段，同事多次催促，叫我不要理會她們，我還是不想放棄。

護士長來巡房，我開玩笑地對她說：「今天，我為五位病人剪了頭髮，應該有七十五元的額外津貼啊！」

自此之後，病人總是在我當值時才要求剪髮，有時還要佔用我的用餐時間。這段日子，雖然短暫，但是我真的很開心。她們的笑臉，讓我終身難忘。

我問病人:「你為何不讓專業理髮師剪頭髮,卻要我幫你剪呢？」她說：「理髮師剪得很難看，頭髮總是長短不齊呀！」由此可見，愛美是人的天性，婆婆也愛美啊！

高官夫人

護養院骨科病人，有些來自普通家庭，子女際遇不佳，經濟能力有限，無能力照顧年邁父母，仍會定期探望；有些病人卻一直無人探訪。高官夫人的情況則較為特別，她的訪客每月必到訪一次。

高官夫人已到耄耋之年，仍有一種與眾不同的氣質。她的皮膚白皙，鵝蛋型臉龐，額角有皺紋，鼻樑挺直，眉清目秀，眼神透出哀怨、無奈和憤懣。

同事告訴我，高官夫人在護養院住了很多年，平時沉默寡言，一副高不可攀的樣子。每個人總有自己的故事，我打算抽空了解一下，能幫忙的儘量幫，幫不到也能給予關懷。

某夜，我完成病房常規工作後，走到高官夫人床邊，與她閒聊。起初，我問一句，她答一句，總是愛理不理。後來，她終於忍不住向我傾訴，把埋藏在心裡多年的鬱結抒發出來。

她悻悻地說：「我的丈夫是國民黨高官，很富有，非常愛我，打算帶我移民外國，我已見過移民官。一切準備就緒，變故突然發生了。我惹來他的情婦嫉妒，她寧願兩敗俱傷，竟然把自己的妹妹送給我的丈夫。他抵受不住誘惑，終於拋棄了我，和那個女人遠走他方！」

我疑問地說：「既然你已經見了移民官，為何他可以帶另一個女人移民呢？」她茫然地說：「丈夫向我告知，由於我面見移民官時太緊張，因此移民局不批准我的申請，他才帶那個女人！我不知道是真是假。丈夫答應會照顧我終老，即使他移民外國，也會想辦法一家團聚。男人真的信不過，我太天真，居然相信他！不過，他的確安排別人照料我的生活起居。我跌斷了腳，接受手術後，有人送我來到這裡，每月來看我一次，還帶一隻燒鵝腿給我吃。」

她興致勃勃地告訴我，以前當高官夫人，講究排場，吃的是珍禽，穿的是綢緞，衣服、首飾多不勝數，送禮巴結的人都絡繹不絕。她突然感觸地說：「想不到現在卻孤伶伶地等死！」她臉上露出怨憤的神情，我立即安慰她說：「你起碼享受過，見識過，較一般人好得多呀！這病房住的多是窮苦人家，辛勤工作一輩子，老來什麼福都沒享過。你要看開些，不要再埋怨了，凡事要隨遇而安，否則辛苦的是你自己。」她點點頭說：「你說得有道理。」

後來，同事告訴我，原來高官安排了生活費，每月轉帳數千港元給一位親戚，叮囑她照顧太太的生活。近日，他派人返港查看太太的情況，才知所託非人。太太被送到護養院，每月數千元的生活費只換來一隻燒鵝腿！

菩薩蠻

風清水碧山川秀，香江歲月靈光透。園毀草萋萋，羈禽思故棲。

桃花依舊艷，難斷相思念。孤雁遠高飛，懷人依户扉。

人瑞：亞瑞

我離職前，任職的護養院骨科病房有三位人瑞。其中兩位都已失去認知能力，躺在床上靜候歸天。亞瑞剛過期頤之年，則是我們的開心果。

亞瑞身形矮小，略胖，白髮稀疏，雙眼圓圓，鼻樑扁，嘴巴細，嘴唇薄，兩頰鬆弛，皺紋遍佈面部。亞瑞總是笑容滿面，好奇心強，能背誦《三字經》，甚至懂得唱粵曲。

每天早上，我們攙扶亞瑞下床坐於籐椅上，避免她長期卧床，因而引發褥瘡或肺炎等併發症。為了預防她跌倒，我們會為她穿上約束衣。每次用膳時，她自己可以拿著飯碗進食。她挺有好奇心，別人閒聊時，她會注視他們。

每日，我在派餐前都會跟亞瑞開玩笑，輕聲地問她：「亞瑞餓嗎？」她總是笑著點頭。我於是對她說：「你要吃飯就要唱歌，做賣唱姑娘，好嗎？」她又會笑著點點頭，然後害羞地唱粵曲，唱得有板有眼，鄰近病人都會專心聽歌。她每次唱完後，病房便會響起此起彼落的掌聲，充滿歡樂氣氛！這是我在職以來感覺最窩心的時刻。

每天我完成例行的護理工作，都會走到亞瑞的床邊來逗她玩，要求她背誦《三字經》。她都是羞答答地、笑盈盈地完成任務。

有一次大巡，我告訴院長[註 14]，亞瑞會背誦《三字經》。有一位醫生不大相信，說：「超過一百歲的婆婆還會背誦《三字經》？」我笑著對亞瑞說：「這是你的表演時間」。

亞瑞很合作，立即大聲朗誦：「人之初，性本善；性相近，習相遠。

苟不教，性乃遷；教之道，貴以專。昔孟母，擇鄰處；子不學，斷機杼。……」。她不斷背誦，直至我叫停，她才停下來。院長立時對亞瑞刮目相看。

有一位醫生忍不住說：「我不懂，還以為《三字經》即是講粗口呀！」立即引來全場爆笑。

我離職後，相約同事聚會，查問亞瑞的情況。同事告訴我，我離職不久，亞瑞便安詳離世了。

註 14：護養院由院長帶領眾醫生大巡，院長也是醫生，我在內科病房曾經跟他一起工作。

病人利益

在大機構做事，很多人會抱著「不求有功，但求無過」的心態。尤其是在醫療機構工作，員工升遷按既定程序，只要沒有大過失，表現合乎要求，在我任職的醫院裡，年資滿十五年便符合升職資格。如果不慎犯錯，小則寫報告，上法庭，大則名譽掃地，前途盡毀。因此有些人認為，工作多做多錯，少做少錯。做事以維護自身利益，又不會得失別人為原則，逐漸養成了因循苟且的習慣。

我立志做護士，並不是為醫療機構，而是為病人做事。我著重的是病人權益，不怕得罪任何人。

院長、護士長與病房護士每週開會一次。由於信念使然，我發覺病房有任何需要改善的地方，都敢於提出來。除了在衣物房安裝抽氣扇和電風扇外，我還發現病房內電風扇的問題。

骨科病房，大多數老人家扶著助行器或拿著拐杖走路，直立式電風扇阻礙病房的活動空間，連接著長長的電線，容易絆倒病人，這令病房裡危機四伏。

當我要求病房改裝掛牆式電風扇時，院長也認為合理。護士長告知院長，病房要安設掛牆電風扇，可能要重新安裝粗電線，今年的預算已制訂，翌年才可以執行該計劃。

院長說：「不用等預算審批通過，我有權在特殊情況下批准的。」

開完會後，我的同事（任職多年的登記護士）告訴我：「在一般情況下，病房護士有任何建議，都要事先稟告護士長，由護士長提出。現在，你在會議上越級提供意見，這是不合常規的做法。」我解釋說：「我不知道這些潛規則。如果我先向護士長提議改裝電風扇，她真的會在會議中提出嗎？我認為未必，因為這會麻煩到部門同事，包括：會計部、採購部、工程部和總務部。同時，她怕院長嫌她多事。」其實，我也擔心被護士長責怪。不過回心一想，即使我遭痛罵一頓，能做一些對病人有利的事情，也是值得的。

不知何故，我沒有受到責罵，護士長反而對我更加客氣。院長既已接納我的建議，護士長可能也明白我為病人著想，便不予追究了。

舊同事

我做了治療「扳機指」的手術，依時返回曾任職的醫院覆診，遇見三位舊同事，這讓我心情愉悅。

在門診部等候期間，我無意中看見寫著「石膏房」三個字的房間，走到房間門口，瞧見一名男子，他精神奕奕，穿著白色衣褲，身材健碩，唇上留了鬍子，貌似年輕版歌星林子祥。他注視著我，露出非常詫異的神情，然後笑著説：「劉姑娘，你的樣子沒怎麼變啊！為何在這裡呀？」我回答：「L，我回來覆診。」

G 正在房內為病人打石膏，L 對 G 說：「你還認不認得劉姑娘呀？」G 完成工作後，走出來和我寒暄一番。我詢問 L 其他石膏師傅[註15]近況，原來我認識的同事仍有五位在職，其中兩人將會退休。言談之間，我才知道骨科醫生定期參加無國界醫生的工作。一位資深石膏師傅，隨行到外地做義工時，不幸染疾而亡。傷感之餘，我深覺人生無常，更應珍惜眼前人。

今天我能重遇昔日同事，心中暖洋洋的，除了 L 討人喜歡的話，最高興的是他仍然認得我，還能記起我的姓氏。

我離開石膏房回到診症室門外等候醫生，心想為何不給石膏師傅一些手信呢？幸而我帶了西餅卡，立即匆匆回到石膏房，把餅卡交給 L，麻煩他取糕餅與同事分享。當我看見 L 喜悅的神情，自己也很開心，整天都忘不了他燦爛的笑容。我知道他高興的不是物質上的得著，而是心靈上的滿足，因為他知道我仍然關心他們，即使多年不見，情誼依舊。

同樣地，我覆診時見到現任顧問醫生 W，他竟然還記得我這個小人物，更當我是朋友，我怎能不深感欣慰呢！

白駒過隙，當年二十多歲的年輕醫生，經過多年不斷的努力，終於成為專科顧問醫生和部門主管。W 的外表變化不大，只是兩鬢斑白，臉色仍然是白裡透紅。他笑容可掬，沒有疲憊的神態。舊友重逢，怎不令人心花怒放呢！離開診症室前，我問：「還記得我們一起唱粵曲嗎？」他笑著回答：「記得，在十一樓呀！」那裡是醫生會所。

當年聖誕節，骨科病房同事舉辦聖誕派對，邀請我回去聚會，預備豐富的食物和飲品，還可以唱卡拉 OK。兩位醫生和我唱粵曲，一位是 W，另一位是 F。

F 已經離開我們共事的醫院，成為兼顧兩間公立醫院脊椎科和創傷科部門的主管與顧問醫生。W 和 F 都具有非常高尚的情操和醫德，是真心關愛病人的醫生。

註 15：專責為病人打石膏的技師。

情繫半生

我在護士學校讀了四年書，在公立醫院和護養院工作十多年，便離開護理界。往日同窗和同事，我仍然保持聯絡，情繫半生。

二〇一六年，我在護士同學群組中，得悉護士宿舍即將拆卸，醫院舉辦懷舊活動，邀請歷屆護士畢業生回去參加聚會，並安排我們返回護士宿舍，緬懷昔日情。

四月中旬醫院發出通知，參加者可致電報名。有在職同學是該活動負責人之一，她提議為我們集體報名。我立即附和，期待五月下旬的聚會。

我致電前上司P姑娘，問她會否出席該次活動，她笑著說：「我是在另外一間醫院（同一機構）畢業的，所以我不受邀請。」我告訴她：「我們同班有二十多人參加啊！我是第一個報名的。」她笑說：「你一向很有凝聚能力！」我說：「不是，大家都想回去看看，只是我較性急而已。」

P姑娘告訴我，她生病了，在九天內已看了四次私家醫生。她又提及，一位前同事也病倒了，返回曾任職的醫院看了兩次病。近日的病毒特別厲害，她叮囑我要小心身體，關愛之情，讓我銘感五內。

我告訴她，今天我也病了，沒有去看醫生，只吃感冒藥，多喝水，留在家中休息。她認同地說：「對呀！多休息，人會自然痊癒。」

我們談及一些舊同事的近況，護士長馮姑娘已經移民加拿大。我又問她有沒有見過李姑娘、「大笑姑婆」（她們是我們的麻將友），P姑娘聲音沙啞說：「沒有呀！你不組織活動，我們便沒有見面了。」我說：「待我們病癒，有空再約，你好好保重。」她說：「好啊！

謝謝你的來電。」

每次我致電給 P 姑娘，她都會道謝。她是很值得我尊敬的人。

時光荏苒，不知不覺間，我經歷了不少歲月的洗禮。在人生旅途上，憂患多於喜樂。人與人之間能相遇相知，既是緣份，也是福氣。希望在失去前，我們都懂得珍惜眼前人。

五二一聚會

二〇一六年四月，我得悉護士宿舍拆卸在即，它將改建為住院大樓。醫院舉行「五二一聚會」，讓舊同學返回宿舍來緬懷昔日情。這次活動，我班有二十一人出席，歷屆學生共有九百多人報名參加，分享以前住宿舍的點滴。

由於參加人數眾多，因此需要分為三個時段進入會場。按照長幼有序的傳統，高班師姐先行，我屬於中班，第二時段，師弟妹是第三時段。

我們同班同學約定集合時間，先在醫院正門攝影留念，然後到指定地點排隊登記。我們排隊時，義工向每人遞上一杯茶。我們等候數分鐘後，便進入接待處報到，取名牌和「參觀宿舍」貼紙（寫明參觀樓層），然後簽紀念冊。

我們在餐廳等待通知，才能去排隊乘升降機前往宿舍。

由於並不是每個房間都對外開放，所以我們懷著戰戰兢兢的心情，希望能進入自己曾住過的房間，讓此行更具意義。不久，廣播通知：參觀七樓的同學可以去排隊。

我班有三位同學做義工，其中兩位運用軟硬兼施的方法，要求師妹對調宿舍樓層導賞工作，終於取得成功，另一位同學A則負責操作升降機，升降機內沒有空調，又熱又人多，這難怪她頻呼：「很辛苦呀！」

升降機已經一把年紀，醫院怕它太辛苦容易出意外，限制它每次只能承載七人。我們耐心等候，同時與同學A一起照相留念。

這次活動的義工，有病房護士、病房經理，甚至有專科部門的護士長。例如我的師姐，已經是產科部門的最高統領了。她跟所有義工一樣，穿上舊時的護士學生制服；看到這套制服，百般滋味在心頭。同學A告知我，現在的護士不用戴帽了，A把她的職員證相片給我看。閒聊間，終於輪到我們了。

護士學校停辦多年，往日的護士宿舍已經改作其他用途，例如：醫生休息室、實習生房間、醫生秘書辦公室等。由於有些人遷出後，仍未完全清理所有物品，所以部份房間未能開放。我們到達七樓，立即去尋找自己曾經住過的地方。

室友和我一起走到長廊的盡頭，我們住尾房，房門開啟，我問室友是否仍記起我們的房號，她問我：「是不是738呀？」我回應：「不記得了！」然後我們看見房間門牌730，都以為這是住宿時的房間號碼，為免日後忘記，立即在門前攝影留念。在職同學告知，現在的房間號碼已經更改了。室友和我於是又去找房間門牌738拍照。

部份房間仍然關閉，那些同學無法緬懷曾經住過的地方，便只好走到其他房間攝影。我們是較幸運的一群，在窗前、衣櫃旁和床上拍照留念。往時的雙人房間變更為單人房，更有空調裝置。

後來我們走進另一個房間，房間內有三個洗手間和四個淋浴室，我們發覺一切都漂亮得多了，洗手盆和水龍頭都是新穎的款式。

同學笑著講述，當年我們用腰帶掛在浴室門上，以此作記號排隊洗澡。我也訴說一件惡作劇，有一次同學B沐浴時間很久，我便戲弄她，說要拿椅子來攀高，看一看她洗澡的情況如何，她嚇得魂飛魄散，高聲呼叫，然後匆匆完事。我們開心地講起以往的趣事。

我們到走廊、樓梯、小客廳拍集體照，並且把照片傳送到我們的群組，讓未能出席的同學分享喜悅。穿制服的兩位同學成為我們的模特兒，大家輪流跟她們拍照。我們手牽著手照相，感覺溫馨無限。我們彷彿通過時光隧道，返回昔日住宿舍時的輕狂歲月！

我們在宿舍找到一間開了空調的房間，十多人聚首一堂，嘻嘻哈哈談及過往住宿時的趣事。某人沐浴時高歌；某人考試前夕與同房一起去看電影，高談闊論被罵；某人在宿舍煮糖水，剛巧遇著舍監到來查房。房間內規定不得煮食，否則沒收炊具，她機警地把整鍋糖水藏入衣櫃內，並假裝上完夜班後睡覺，舍監不便打擾，便讓她過了關。

由於時間限制，我們只能逗留一段短時間便要離開，與曾住了三年的宿舍道別。

我們返回餐廳，品嚐海鮮粥、水果、三明治等，然後輪流站在人形紙板後照相。紙板分別有男護士和女護士的學生制服造型，面部留空，我們把頭放進去，拍出來就變成穿制服的護士學生了。有位同學，現職病房經理，開玩笑地說：「我終於找回許久不見的小蠻腰啊！」

我們遇見一些學姐，大家笑意盈盈地拍照留念，有的三五成群坐在餐廳內互談近況。電視機不停播放往日各班活動的或畢業的照片，我班同學當年註冊護士的和助產士的畢業照也重現。光陰荏苒，我們已經過了不少精彩的歲月！

近日，醫療事故頻頻，同學和我談及箇中原因，感慨良多。她說：「現在的學生是來讀書的，不是來工作的，誰人給他們工作，誰便要自行負責。」從她說話的語氣，我感覺到她有些氣憤。

我們就讀護士學校，受訓三年，上理論課的時間不多，實際受用的是病房的實戰經驗，同時我們擁有為病人服務的熱誠。

三年的學生生涯，薪酬微薄，還要支付食宿費用，可以說，我們做了三年的廉價勞工。我們真心愛護病人，當時因護士疏忽而導致醫療事故，我在職時真的鮮有聽聞。

我們的護士學校有九十年歷史，培育了五千多名註冊護士，三千多名助產士，我慶幸是其中一員。移民外國的師姐告知，我們護士學校的畢業生，在新加坡、加拿大和澳洲都得到很高的評價。

我們離開護校大樓後，再去文物館參觀，並拍照留念，然後取了醫院贈送的《天使家書》作紀念，才依依不捨地分道揚鑣。

《天使家書》

《天使家書》是熱和愛的奉獻——廣華醫院護理教育九十年文集。書中有六十多篇文章，由退休師姐或現任護士撰文。字裡行間可以了解到學徒制下成長的護士，他們不怕辛勞，甚至忘卻自身安危，全心全意地為病人服務的事蹟。

《天使家書》中，有一篇文章的作者是一位現任外科病房的經理，回顧她的學生生涯，其中一件令她難忘的往事。

一個寒冬的晚上，她當值夜班。大部分病人都在睡夢中，她拿著注射托盤，預備為病人注射抗生素。她走到第二格走廊，看見一個女病人爬上外走廊的欄杆而企圖跳樓，嚇得魂不附體。她瞬間回過神來，立即拋下注射托盤，飛奔到欄杆，雙手抱住病人，拼命把她從欄杆拉下來。兩人一齊跌倒地上，她一面嘗試拉著病人回病房，一面大喊救命。其他工作人員很快趕來幫忙。後來她分享這段經歷時，她的同學都覺得她太大膽。因為她的體重只有八十磅，她有可能拉不住病人，反而一齊墮樓。

她說：「當時情況危急，救人要緊，我完全沒有時間考慮其他啊！」

從以上實例中，可見一位真正的白衣天使，最關心的是病人的安危！

現今護士攻讀學位課程，理論知識的確較學徒制豐富，他們卻缺乏足夠的實戰操練。如果大學護理課程能夠加強實習的訓練，灌輸同理心的觀念，希望培育出來的護士，既有豐富的護理知識，又有信心和能力應付病房繁忙的工作，同時關心病人的需要。

但願所有護士都能夠做到燃燒自己，照亮他人，實踐南丁格爾精神。

珍貴的友誼

妙和P姑娘都是我任職護士時的同事。妙移民澳洲後，重操故業。P姑娘曾是病房主管，我們的上司，現已退休。

當年我們在骨科病房工作，走廊和牆角都擺放了帆布床，病房的忙碌情況可想而知。雖然工作繁忙，但是那段日子是我護士生涯中最快樂的。妙和我一起工作六年，大家合作愉快。我們是好夥伴，建立了珍貴的友誼。

她結婚前，我陪她去婚紗店，選擇婚照套餐。後來，我們的孩子都就讀同一所幼稚園。我倆很少一起放假。在某一個假日，我們兩家人難得一起往離島，入住度假屋，享受美麗的風景和愉快的時光。

我離職數載後，妙移居墨爾本。雖然我們分隔兩地，但是我們仍然保持聯絡。每年她回港探望父母和親友，會約我相聚。某年農曆正月初一，妙來電拜年，並告訴我將於二月二十日回港，到時再相約見面。

約一個月後，我接到她的來電：「美雲，我回來啦！什麼時候有空相見呀？」我們約定翌日下午三時在尖沙嘴某餐廳相會，她又致電給P姑娘。約兩分鐘後，妙再次來電告知我，P姑娘原本已約了外國回港友人聚會，但是P姑娘寧願提早退席，依約出來和我們會面。

她開心地說：「我們見面時一定笑得合不攏嘴。」我問：「你有笑話告訴我？」她說：「因為有你在一起，我自然開懷！」然後我們在一連串的笑聲中掛線。

翌日下午二時四十九分，我剛走到餐廳門口，妙來電給我，她和P姑娘已經就座。我走進餐廳轉了一圈，竟然看不見她們。我放慢腳步重新尋找熟悉的臉孔，終於看見她們正在談笑甚歡。妙架上時尚的眼鏡，面頰瘦削，臉色略黃，精神仍算不錯。P姑娘身形略胖，頭髮花白，慈眉善目，笑逐顏開。

我們都是守時的人。當日我們在同一病房工作了六年，總是準時甚至提早接更，下班則儘量把工作辦妥才離開。早更時間7:00am至2:30pm，我們則通常下午三時多才下班。

我們談及當年的辛酸史。我說：「當日，我們工作的病房原本只有七十二張病床，不敷應用，需要加開帆布床，總共收了超過一百個患者。」P姑娘立即回應：「當時我們收了一百一十二個病人呀！哈哈，我又不是特別能幹，總算應付自如，沒有弄出什麼差錯。」

我們都是工作認真的人，不怕吃虧，互相尊重，所以成為好同事好朋友。P姑娘告訴我們，大家一起合作的日子，她感覺非常開心。原來妙也有同感。

我離職不久，妙申請調職轉做社康護士，在三年後辭職移民澳洲。她在彼邦修讀了一個為期三個月的課程，考試合格後便重投護士行列。其後，她修讀遙距課程，取得護理學士學位。

她做兼職，每星期上班三至四天，工作時間為7:00am至3:30pm，其中半小時是午膳時間。星期一至五，時薪四十澳元；星期六和星期日，時薪六十澳元。薪酬看似不錯，稅率卻高達36至47%，所以實際收入不及香港的註冊護士。

下午五時，P姑娘先行離開，我和妙繼續天南地北無所不談。我們離開餐廳，到尖沙嘴景區閒逛。不知不覺間，夜幕低垂。妙要赴另一個約會，我們才依依不捨地道別。

今次聚會，我才知道，她們都覺得當年共事的歲月十分愉快，我真的非常高興。我們有緣相識，多年仍能相互尊重，情誼不變，夫復何求！

懷念摯友

醫護人員雖然見慣生離死別，面對親友離世，仍然難免悲傷。二〇一六年六月十四日早上，當我知道好友妙已經在兩天前病逝，不禁淚如雨下。我討厭自己情緒失控，帶著紅腫的雙眼去做身體檢查。

我受人託付，把噩耗告知P姑娘。P姑娘是我和妙的上司，很疼惜妙。平時遇事冷靜的我竟然感到徬徨。P姑娘已經踏進暮年，上月看了四次醫生，我擔心她獲悉凶信，她會傷心過度而影響健康。

淒風苦雨的一天將盡，我抱著戰戰兢兢的心情致電P姑娘。她接到我的電話時，很是開心，我不忍心立即告知她妙的死訊。我們閒聊一會兒，我才轉入正題。P姑娘得悉妙的死訊，稍作沉默，然後問我：「我們可以做些什麼呢？」我回應她說：「墨爾本的教會將為妙舉行生命讚頌分享會，希望我們撰寫文章，分享她生命的點滴。」P姑娘心情沉重地說：「我不懂寫，還是你來寫吧！」我答應P姑娘，撰文紀念好友。

過往我致電P姑娘或妙，她倆都有一個習慣，就在掛斷電話前，總會客氣地道謝。這天，P姑娘一反常態，竟然對我說：「不要講啦，好嗎？」我知道她快要哭出來了，只好匆匆掛線。我很難過，既傷心失去好友，又擔心P姑娘的健康。

當晚，我輾轉反側，睡不安寧，眼淚總是不由自主地流下。我心神恍惚地過了數天，終於要實踐承諾，收拾心情，執筆撰文。

我寫完紀念好友的文章和詩歌，連同我們三人（妙、P姑娘和我）的合照，電郵到澳洲教會的電郵地址。我致電告訴P姑娘，我已經完成任務，還詢問她的身體狀況，幸好她安然無恙。

我向她傾訴，說：「這幾天晚上，我都睡不好，半夜會忍不住哭起來。」原來她也有同樣的情況。我便嘗試開解她，同時也是自我安慰。妙的一生應該無憾，她服務醫護界數十年，深得同事和病人稱許；她擁有美滿的家庭，丈夫深愛著她。在她病逝前，女兒已經覓得佳偶組織幸福家庭，她總算放下心頭大石，安心上路。經過我一番安撫，P 姑娘好像真的釋懷了。

P 姑娘回憶往事，讚揚妙的工作態度，妙既有愛心，又有耐心，向年老病人溫柔地詳細解說病情。病人聽不明白，她會不厭其煩地重新解釋。

我離開骨科病房後，P 姑娘曾想推薦妙晉升為病房經理，但遭妙婉拒。我和 P 姑娘閒聊一番後，我叮囑她要好好保重身體，我們才結束對話。

我們在人生旅途中總會遇到不少人和事，回首前塵，有悲有喜。我有幸認識妙和 P 姑娘，她們留給我不少美麗的回憶。妙的離世讓我悲傷和不捨，但這才是人生，曾經相遇相知，還有何憾？

聚會話當年

我的前上司 P 姑娘告訴我，她得悉妙病逝，真的很傷心。為了讓她開懷，我約了 W 醫生與 P 姑娘一起午膳。W 醫生也為妙的不幸感到難過，他說妙是 NICE 和 GENTLE 的人。

妙、我、P 姑娘、W 醫生和 L 醫生曾經共事多年，當年合作愉快，我們至今仍然保持聯絡。

W 醫生是一位負責、勤奮、有修養的醫生，無論工作多忙，總是和顏悅色。他從不遲到，很用心巡視每一位患者。P 姑娘曾對我說：「W 醫生很疼惜病人。」

當日，W 醫生由外科病房轉到骨科時，只是初級醫生，只有一年多的工作經驗。現在，他已經是骨科部門的主管和顧問醫生了。

我們相約於七月十一日聚會。為了方便 W，我約他們在醫院附近某酒店的中菜廳吃午餐。上次我們在同一地點聚會時共有四人，其中兩位是醫生，他們都是大忙人，私人執業的 L 醫生因病人太多而遲到，即使 W 醫生不介意，我還是怕影響他們的工作，所以今次只約了 W 醫生。

我約了 P 姑娘在金鐘地鐵站集合。我較約定時間早十分鐘到達，她已經來到等候。我們見面後就滔滔不絕地談及雙方的近況和有關醫療的問題。

她認為，現在的醫療制度有缺憾，尤其是取消護校培訓，改為學位制後，醫療事故頻生，當局必須檢討，找出改善的方法。現在的年輕人有太多誘惑，肯用心工作，已算不錯。畢竟實踐經驗始終有限，當然會影響信心和工作表現。

W 醫生依時到達餐廳，看來很疲累。我們點選完食物，暢談昔日點滴時，他卻興致勃勃，笑容滿面。

我為他倆拍照留念。P 姑娘提及 W 醫生結婚時，與同事合資送禮。W 醫生慨歎時光飛逝。

我告訴 P 姑娘：「當年我在每日下班回家後，會把當天的工作想一遍，檢討有否錯漏。」想不到 P 姑娘說：「我也是呀！」

我語出驚人地說：「當護士學生時，我曾經失職。」她睜大眼睛看著我。

我又說：「當日我和同房（護士宿舍的室友）在內科病房值班，收了一個糖尿病人。他是露宿者，全身污穢不堪，衣衫襤褸，身上發出異味，腳部嚴重潰爛。醫生查看傷口，傷口佈滿腐肉，窩藏了很多白色的小蟲子。我害怕蟲類，看見一堆蠕動的小蟲，嚇得心慌意亂。」

醫生處方：為病人沐浴，清除小蟲，清理傷口，安排做剪除腐肉的手術，然後每天用藥水清洗傷口。我去治療室，告知同房：「我很怕小蟲，真的做不來呀！」她輕描淡寫地對我說：「沒問題，我去做！」

P 姑娘原來也有類似的經歷。她憶述說：「我也遇上讓人毛骨悚然的事情。當時我還是學生，病房收了一個病人，他從嘴裡吐出一條很長的蛔蟲，病房主管吩咐我量度牠的長度，然後記錄在案。我看到蛔蟲，已經驚得想哭，還要量度牠呢？我驚呼起來：『我辭職，我辭職，我不做啦！我不做啦！』」

我笑著問她：「你也怕小蟲子？」

她回應：「是！我怕。當時主管見我如此驚慌，立即安慰說：『不用辭職，不用辭職，不用你量度便是。』」

我望著她，我們都忍不住哈哈大笑。

下午二時，P姑娘催促W醫生回去上班。他淡定地說：「不打緊！我自會安排。如果要看門診或做手術當然不能遲到，今天我不趕時間。」P姑娘竟然對W醫生說：「你要做個好榜樣呀！」我怕W醫生不高興，便說：「他做大哥，心中有數的。」

他心平氣和地向P姑娘解釋：「每天早上七時多，我已經返回醫院工作，晚上七時多才下班，長期超時工作，偶爾用餐時間多一點，沒有問題。

下午二時二十分，我們拍完合照後，W醫生才返回醫院繼續繁忙的工作。

機艙突發事件

我在護校同學群組中，得悉同學 A 乘飛機由加拿大回港時遇到突發事情。空中服務員呼籲機艙內如有醫生或護士，請他們出來幫忙。A 敬業樂業，立即自告奮勇，空中服務員竟然問她有沒有攜帶護士證。A 在群組中說：「誰會在外遊時隨身帶著護士證呢？」同學 B 回應：「你可以後補的，我遇過數次這類事情了。」基於好奇心驅使，我在週年聚餐時向兩位當事人查詢事情始末。

A 說：「當空中服務員呼籲醫生或護士提供協助時，總共有五位護士挺身而出。兩名西婦，三位華裔護士：已退休的女護士長、精神科註冊男護士和我。西婦看見亞洲人面孔的求助者，三位華裔護士在場，她們於是返回座位。」A 仍然在職，是公立醫院外科病房的護士。

A 續說：「求助的乘客是男性長者，來自溫州。他在加拿大上機前十八個小時沒有小便，自言打算乘飛機到達香港後，然後返回溫州求醫。登機兩小時後，他終於忍不住要向空中服務員求助。幸而飛機上有導尿管設備，男護士為求助者插入導尿管，尿液即時導出。最後，尿袋竟儲存了 2000cc 尿液。」

如果飛機上沒有醫護人士協助，求助者可能出現尿毒症。飛機也可能要緊急降落到就近機場，他急需送院治理。A 認為，求助者應該有前列腺問題，總是不肯承認，可能是怕被追究責任。如果他稍有常識，連續十八小時無法排小便，應該在加拿大求診，絕不能登機。他的無知帶給別人麻煩，自己也有生命危險。其實，飛機上發生的意外事故，主因多是乘客不明白事情的嚴重性。

同學B乘坐飛機途中，曾經三次協助空中服務員，幫助身體不適的乘客，其中一次更令人啼笑皆非。事情經過如下：

第一次事件：一對母子由美國三藩市回港途中，母親忽然陷入休克狀態。B詢問她的兒子患者的病史。兒子聲稱母親一向健康，從來沒有出現過這種情況。B問完後，並無任何發現，便詳細觀察她的狀況，患者臉色蒼白，氣若游絲，脈搏微弱，仍有意識，只是軟弱無力。當時空中服務員未能提供血壓計，B不知道患者是血壓過高還是血壓過低，究竟為什麼她會突然不適呢？B於是問她的兒子，她上機前吃過什麼東西？她的兒子想了一會兒，說：「母親的好友前來送機，自言曾因面色通紅而被拒登機，擔心母親遇到同一遭遇，便給她兩粒降壓藥。母親為了順利上機，便先把兩顆藥丸吞下去。」

B又問：「你的母親有血壓高嗎？」兒子肯定地說：「沒有。」B恍然大悟，知道他的母親是血壓過低導致不適，建議給患者喝溫開水和吃梳打餅。大量溫開水可以稀釋藥性；淮鹽梳打餅含有鹽分，能夠提升血壓。患者暫時不要吃其他東西，盡量休息。B提出需要的醫療工具，空中服務員於是向乘客呼籲：如有血壓計，請求借用。剛巧有乘客買了一個水銀血壓計，願意借出來。B用血壓計來檢查進展程度。過了一段時間，患者的情況漸漸好轉，血壓從測量不到，回升到正常狀態，B的任務才算完成。

第二次事件：某女士，年約三十歲，到外地玩海底潛水，盡興而歸。在回程途中，飛機遇到頻繁和較大的氣流顛簸，因而導致她情緒失控。每當飛機搖晃，她用雙手緊拉著同行的男伴，不斷大呼小叫。B問不到任何病史，只好坐在她的身旁，給她握著雙手，然後輕聲安慰，並建議她深呼吸來放鬆情緒。醫護人員在身邊陪伴，增加她的安全感，她便漸漸鎮定下來。

第三次事件：一位中年女士告訴空中服務員，她感覺不適，要求協助。B詢問中年女士哪裡不舒服，她未能講得清楚，B再問她以前有沒有遇過此種狀況，她搖搖頭地說：「沒有。」B觀察這位女士無什麼大礙，於是給她一瓶藥油，然後對她說：「哪裡不適就塗哪裡。」想不到真的有效，中年女士很快就舒服不少了。

B坦言，每次她都期待其他人幫忙，最好有醫生處理，沒有其他人幫助，她才會勉為其難，因怕有人失救，自己會心中不安。她告訴我們：香港某航空公司職員認為，她是義務協助，不用承擔法律責任，護士證明文件也可以後補。B有碩士學歷，見識廣博。B指出，飛機在不同的國際空域，要依據國際法，在某國的上空便遵照某國的法律，協助者可能要負上法律責任。

B認為，很多人在機艙內感覺不適，都不會誠實地告知病史，主要是逃避可能被追討的賠償。其實，這樣的做法是愚不可及的，難道金錢較生命更重要嗎？當然，有些是心理因素。從上述的事件可知，我們遇到問題，要冷靜分析。每個人情況不同，我們要解決問題，必須靈活處理。

那些年

當年護士學校讀書的時候，我曾參加全港公開國際女子長途賽跑。我約了五位護士學校的同學，一起參賽，同學A更特意買了一雙名牌跑步鞋。我做領隊帶她們練跑，第一天從油麻地跑往何文田，再跑去尖沙嘴，然後跑回窩打老道的醫院宿舍。

第二次練跑的早上，同學A抱怨說：「跑步太辛苦，我決定退出！」最滑稽的是，我們找遍她的房間，竟然都找不到她的跑步鞋，她堅定地說：「為了下定決心不跑步，我已經把鞋丟掉了。」看見她認真的樣子，我們都感覺啼笑皆非。

我可能不懂訓練別人跑步的技巧。最後，只有我和室友參加國際長途賽跑。

比賽到最後階段，跑手陸續跑進運動場，場內坐滿了他們的親朋好友，加油鼓勵聲此起彼落。我跑到筋疲力竭，快喘不過氣來，我的同學則緊跟在我後面快追上來，我保持步速，……。最後，我倆都順利完成賽事，獲得大會頒發優異成績的獎狀。

自此之後，我沒有再參加馬拉松賽事了，因為沒空跑步，所有時間都用來讀書和工作。

回想昔日的青蔥歲月，我忍不住把文件盒打開，想看一眼那張陳年的「國際女子長途賽跑的獎狀」。我先看到數枚拯溺章和多張長途泳賽的證書。其中一張是我參加長途冬泳的證書，註明當日的水溫（攝氏十一度）。我很慶幸，年輕時有許多美好的回憶。

究竟她是否真的把跑步鞋丟棄呢？至今仍然成謎。下次同學聚會，我要舊事重提，查問它的下落。我們到時又會笑聲震天，一起緬懷青春的歲月。

護校同學週年聚會

我任職的醫療機構，轄下的護士學校由一九二一年開始招聘護士學生，至二〇〇二年三月最後一屆學生畢業，一共訓練了超過五千三百名註冊護士和三千三百名註冊助產士。我有幸是其中一員。同屆畢業生按照傳統，參加一年一度的鵲橋會。今晚我班共有二十四位同學出席週年聚會。

入學時，我們全班約五十人，可惜有些同學還未畢業便離開了。即使完成三年註冊護士課程，通過香港護士管理局的考試，醫院也明言只會分階段任用。第一批受聘的只有二十多人，我僥倖獲得聘任，有機會讀產科。

所謂「塞翁失馬，焉知非福」。某同學不獲錄用，入職另一間醫院，由於她工作認真和勤快，表現出色，所以很快獲得晉升為護士長。她還利用工餘時間，完成電腦碩士課程，令我們羨慕不已。每年她都會出席我們的週年聚會，情誼依舊。

今晚聚會的同學，大部分仍然任職護士行業，有些同學要上班，有些已經移居外國，竟然有二十四人出席，已經是難能可貴了。

每年週年聚會，我們只會圍爐共話，互道近況和品嚐佳餚，席間總會笑聲不絕。

今晚聚會，每人都有一隻「那些年」的光碟作紀念。席間播放光碟，讓我們一起重溫昔日的青春歲月，有些大家都遺忘的情境，一一呈現在電視螢幕上，真是暖意點滴在心頭。

從影片中，一些久違的記憶重現。護士學校有一個傳統，低班同學要送對聯給即將畢業的學長，畢業班學長則要做東道請低一屆同學吃及第粥。從相片中，五十九屆同學送給我們的對聯：「三年勤學成功望，一生敬業譽名高[註16]。」醫院附近有一個賣粥的小攤子，兩夫婦經營，烹調的及第粥非常美味，我們過了一個十分愉快的晚上。

我們在護士學校讀書時，最渴望收到對聯和請吃及第粥的一天來臨，這表示我們快將畢業成為註冊護士。

護校同學的紀念光碟內，有幾張小朋友的大合照。現在他們都已長大成人，有的做了「人之患」；有的任職藥劑師；有的即將醫科畢業；還有一個快要成為律師。

同學S告訴我們，她的兒子小時候寫「我的志願」，令她啼笑皆非，我們好奇地問其緣故。她微笑著說：「我兒子的志願是當巴士司機，我問他為什麼不做醫生？不做律師？而要當巴士司機呢？我的兒子回答：『因為巴士夠大，我要駕駛巴士來接媽媽下班。』他有孝心，卻沒有上進心，我真的不知道應該欣慰還是擔心啊！」

S曾經辭職陪孩子到加拿大升學。孩子不喜歡讀書，她勉強不來，只好和丈夫回流香港，重作馮婦。S很漂亮，慈眉善目，總是笑容滿面，對同學和病人都很好。是否真的相由心生呢？她的豁達，讓自己和孩子都找到幸福。

每個人有不同的際遇，也會有不同的命運，所謂「行行出狀元」，而且職業無分貴賤，只要是正當職業，我們都應當尊重。愚見認為生活開心與否，取決於做人的態度和個人的要求。人生不如意事十常八九，我們要明白凡事有得有失，把挫折看作磨練，自可減少負面情緒。風雨過後未必一定見到彩虹，好事絕非必然。能夠隨遇而安，方可生活愉快！

註16；對聯只取其意，不符合平仄格律。

晚霞

她依偎在明成懷裡，欣賞漫天雲彩，憧憬著他們的未來。倏忽，紅霞散盡，黑幕來臨。明成竟唱起歌來：「君可見漫天落霞，名利息間似霧化。」她白了他一眼，唱一句：「小小苦楚等於激勵。」明成說：「對，明天紅霞再現。」

他們相視而笑，手牽手踏上歸途。

他們相戀三年了。相識三個月，他便帶她見家人。他和四個妹妹由守寡的母親撫養成人。明成告訴她，一定要努力工作，負起照顧家庭的責任。中學畢業後，明成買了一部二手小型貨車，開了一間清潔公司。由於他為人盡責，凡事親力親為，公司業務蒸蒸日上，他休息的時間卻愈來愈少。

他們聯名置業，到婚姻註冊署登記了婚期，在兩個月後便結婚了。由於要開始供樓，加上結婚的開支，明成白天也接工作。她成為註冊護士後，會大幅加薪。她甘願負擔一半結婚費用，他堅決拒絕，認為這是男生的責任。

他的母親已把她視作媳婦，經常織毛衣、煲湯水給她，令她暖在心頭。她對明成說：「結婚費用一切從簡，由現在開始，照顧你母親和妹妹的責任，我也要承擔。」他深情地看著她，說：「謝謝你，我會帶給你幸福的。」

窗外煙雨淒迷，她當值下更。晚餐時段，她致電明成，他說：「中學同學大牛剛考到車牌，叫我去遊車河，我已告訴他，我很累，要休息了，凌晨三時便要開工，叫他放過我。」她說：「你長期睡眠不足，千萬不要去，早些休息。」

鈴鈴鈴……，凌晨時份，護士宿舍驀然鈴聲響起，即使電話響個不停，仍然沒有人理會。經過一天辛勞的工作，學護正沉醉夢鄉，誰都不願起床。

砰砰砰砰砰砰……，她的房門被人大力拍打，她匆匆起床開門，舍監告知有人找她。

她心知不妙，立即更衣下樓。明成的妹妹滿臉淚痕，惶恐地站在宿舍門口，一見她便說：「大哥出事了！」她們趕到醫院，他已撒手人寰。

明成妹妹說：「原本大哥已經睡了，大牛卻不停來電，與其他同學車輪戰地游說大哥去遊車河，嘲笑他重色輕友。大哥無奈只好去了。交通意外發生後，其他人都只受輕傷，只有大哥遇難，因為大哥太疲累，在車上睡著了。他搶救時我立即致電給你，無人接聽，我只好跑來找你。」她痛恨自己為何不起床聽電話，這樣或許能見到他最後一面。

事情發生後，她的護校同學輪流陪伴她，擔心她會自尋短見。她說：「我不會自殺，因為我要信守承諾，照顧他的母親和妹妹。這不只是報答明成對我的愛，也報答他母親對我的好。」

每個黃昏，除非她要上班，否則都會到明成的墓前，輕聲地告訴他：家中一切安好，勿念。

餘霞成綺，這是個色彩斑斕的黃昏，她的耳邊又聽到明成的歌聲：「君可見漫天落霞，名利息間似霧化。」她仰首觀天，心中默默回贈詩句：「晚霞璀璨記心中，美夢煙消愛尚濃。命蹇猶須磐石志，生生不息有重逢。」

第三輯：

雜篇

友情

真正的友情必須要「真」與「誠」。真正的友情不會因歲月的洗禮而沖淡；真正的友情是互相關懷，不必蜜如糖，甚至可以淡如水，只要知道對方一切無恙便好。我和金花的友情，可算符合上述的要求。

一九七五年，我在某食品公司的化驗室任職助理。我的上司陳金花是一位中年男士，身材矮胖，挺著大肚腩，戴黑框近視眼鏡，常穿吊帶褲。初認識他時，我很討厭他。我做食材分析，偶爾不小心弄破玻璃試管，他就責備我。區區一枝玻璃試管，又不是他的，為何斤斤計較。他似三姑六婆，多管閒事，所以我稱他為「陳金花」，想不到他欣然接受。

相處一段時間後，我發覺他是重情重義的人；他的姐夫失業，他資助姐姐一家的生活費。他教導我做一個負責任的人，做一個守信用的人，做一個忠於自己的人，小事可忍讓，原則必堅持。

我們仍然保持聯絡。數十年間，時而每星期聚會；時而一年見一面。時間沒有稀釋我們的友情，即使不常見面，有時電話閒聊，我叫他一聲「陳金花」，他便哈哈大笑，一切盡在不言中。

長溝流月去無聲

歲月滄桑，人間離合，有太多的悲歡。

金花數度於鬼門關打轉。他珍惜每一天，更珍惜錦瑟華年的好友。無奈朋友如芒花四散，行蹤難覓。當年化驗室的同事，只有我和金花仍然定居香港，其餘的都已移民加拿大或新加坡。

回想當年的趣事，多不勝數。金花為人古道熱腸，欲為我作紅娘。我告訴他，我要唸護士課程，不想談戀愛。

某天，他通知我週末化驗室員工聚會，同事們知道我喜歡游泳，故舉辦碧波暢泳的活動。當我依約到達海灘的時候，所有化驗室同事都爽約，只有一位工程部高大英俊的男同事出現，令我尷尬不已。

星期一上班時，我怒罵金花不要多管閒事，他竟然嘻皮笑臉，一副笑罵由人的態度。後來，他更告知俊男我在荃灣拯溺會擔任導師，俊男於是報名參加拯溺課程。上課時，他不見我的蹤影，再向金花求證。金花並不知道我只教授女學員，而且男女學員的訓練時間是分開的，金花又一次碰壁。

我們開心地回顧昔日青蔥歲月的點滴。最荒唐的一次是金花提議我們下藥迷暈他，他想嘗試昏迷的感覺。金花直言怕自己反悔，建議我們用繩子綑綁著他，然後才可行動。我們依他吩咐，找來繩索，他竟卻步。原來他害怕我們下藥的份量太重，因而性命不保。

在那青澀的年華裡，太多美麗的回憶，照亮我的一生，即使光陰稍縱即逝，兩鬢微霜又何妨？

「千江有水千江月，萬里無雲萬里天。」

入院驚魂

每個人都有自己的性格和特質，例如：我的好朋友陳金花。他多番在死亡邊緣徘徊，仍然可以談笑風生，笑談住院的經歷。

他患有糖尿病，曾經因感冒而引發酮酸中毒，入住醫院的深切治療部，幸好最後命不該絕。另一次是因交通意外入院。他樂於助人，為經營餅店的朋友提供專業意見。朋友送他回家途中發生了車禍。同車的另一好友即時死亡，他身受重傷，全身骨折，又在鬼門關盤桓。

我等待他戰勝死神。他離開深切治療部，轉到普通病房後，我到醫院探望他。我見他變成「蓮藕人」，淚水不禁奪眶而出，他反過來安慰我。住院數月，他接受了多次手術，頭顱、鼻骨、四肢等都有骨折，服藥多不勝數。時至今日，他的身體仍然傷痕纍纍！

他的身體日漸虛弱，由私家醫生寫信轉介他到屯門醫院。驗血發現他缺乏維他命 B12。醫生幾番誤診，帶來金花身心的折騰，幸虧金花有驚無險。

他在講述這次難忘的經歷時說：「我在屯門醫院住了十天，情緒好像坐過山車一樣忽高忽低。每一次聽到醫生懷疑我患上癌症，我便好像被判死刑的囚犯，心情既沉重又難過。抽骨髓檢查後，當檢驗結果證實，我沒有患上血癌，頓時如釋重負，心中暗喜。醫生卻不高興，認為我可能患的是淋巴癌；他的話使我如墮深淵。經過一輪檢查，又發現不是。醫生竟不開心，認為我或許患的是胃癌，我的心情再度忐忑不安。他安排我照胃鏡，取組織化驗，結果胃部正常。」

我笑著問他：「大多數醫生都會安慰病人，為何那位醫生不但沒有安撫你，而且還堅信你患了癌症呢？」金花笑著說：「他過於自信，認為自己的判斷不可能出錯，我看他不服氣的樣子，又覺得自己很幸運，所患的是缺鐵性貧血。原因不明，這很有可能是我吃太多止痛藥，致使胃部不能吸收維他命 B12。現在我每個月到醫院注射維他命 B12，口服鐵丸，病情已經好多了。」他提及那位自信的醫生時，不禁哈哈大笑。

聽到他爽朗的笑聲，我放下心頭大石了。他受了不少病魔的折磨，仍然能夠積極面對人生，我很想向他學習呢！我和他雖是好朋友，性格卻是南轅北轍。我做不到他的豁達，太有原則，眼裡藏不了沙子。我只希望，他真的能夠擺脱病魔的纏繞，安度晚年。

鬼門關

陳金花曾是某間國際集團顧問，有一次義助友人，提供業務意見，友人送他回家途中，發生交通意外。金花在鬼門關前轉了一圈，留醫四個月。出院回家後，他避見好友，隱居數載，今天是他首度出關。

我駕車到信德中心接載他們，金花看見老張，非常高興，張開雙臂欲熊抱老張，他的賢內助提醒他儘快上車。我們又再見面，感到既欣慰又興奮。

回我家後，我們暢談近況。我微笑地說：「你的精神非常好，我可以放下心頭大石。」金花回應：「我是外強內乾，有三高呀！」我關心地問他：「糖尿病控制得如何？有沒有注意飲食？」金花一向饞嘴，不知飽，我最怕便是他的糖尿病失控，因而產生併發症。金花睜大雙眼對我說：「我戒不掉喜愛的食物，醫生於是建議我注射多些胰島素，我當然說好啊！」他以為獲得了聖旨，放心地享用美食。他又補充說：「現在我每天驗血糖三次。」

我見他還洋洋得意，便對他說：「你知否糖尿病的併發症？手腳不能動彈，半身不遂或者突然看不見東西而變成瞎子！血糖偏高或偏低都可以隨時暈倒，糖尿病是會影響血管的疾病呀！」他知道我關心他，便答應以後儘量小心飲食。

閒聊間，我問他有沒有趣事分享，他回應：「多不勝數。」金花還未細說，先哈哈大笑，然後呷一口無糖咖啡，才娓娓道來：「我是一個很有自信的人，從來沒想到自己會在街上突然暈倒。」他離開任職多年的食品公司，受聘於另一間大機構擔任顧問，薪酬豐厚，需要回內地工作。

某天，他在內地一個市鎮突然感覺不適，知道自己血糖低，剛巧路旁有賣蔥油餅的小販，金花覺得他是神派來打救自己的天使，於是立即向小販買蔥油餅吃。吃了片刻，他感到頭暈，不支倒地，明白這是血糖低之故，蔥油餅還未及消化。金花氣若游絲，請求小販送他去醫院，或者代為報警。誰知小販夫婦以為他吃了蔥油餅而中毒，匆匆推著小販車離開。

金花心想，今次真的要踏進鬼門關了，在內地暈倒路旁，怎會有人幫你呢？當他感覺絕望之際，真正的天使出現了。

一位青年拉著木板車路過，看見金花奄奄一息，二話不説，立即把他放上木板車，前往醫院。送院途中，一輛客貨車駛過，司機看見情況危急，立即停車，把金花抬上車來，盡快地送往醫院診治。經急救後，金花恢復知覺，醫生告訴他，如果遲來二十分鐘便返魂乏術了。

網絡或報章上看到有關內地的報導，大部分是負面新聞，令人心中不快。幸而從金花的親身經歷中，我感到安慰，不能盡信媒體的一面之詞。社會上，除了爭名逐利以外，人與人的關愛仍在，中國是有希望的。

糊塗

陳金花外表道貌岸然，一副冷漠和高傲的臉孔。經過相處，我才知道他處事糊塗而為人極重情義。

某天，在化驗室內，金花憂心忡忡，愁眉不展地對我們說：「我的視力漸漸衰退，即使戴上眼鏡，看東西仍然非常模糊，而眼鏡是新配不久的，依目前視力退化的情況，我會很快變成瞎子，會很快離開你們。」我們看見他不像開玩笑，除了安慰他之外，還勸喻他盡早求醫。化驗室整天充滿愁雲慘霧，恍若他真的是大難臨頭似的。

翌日早上，金花眉開眼笑，與前一天判若兩人。我們沉著氣，等候他的解釋。他站在我們跟前，好像小學生做錯事，等待班主任責罰。他真誠地說：「首先，我抱歉讓你們虛驚一場。」我們用憤怒的眼神看著他，以為被他戲弄。他繼續說：「我的視力正常，昨天我看不清楚文件，原來我架著父親的老花眼鏡上班，視力怎會不模糊呢？」金花一邊說，一邊忍不住笑。我心想，他做事糊裡糊塗，還嘻皮笑臉，真不要臉！

他又告訴我們：「昨天我回家，父親慎重其事地說：『我快變成瞎子了，架上眼鏡還看不清周圍的東西呀！』這時，我才發覺父親戴著的是我的近視眼鏡啊！」唉，真的是有其父必有其子！

假眼

我在化驗室工作的歲月，這是我一生中最懷念和最難忘的，因為有一個他：陳金花。

某日下午，正當我在化驗室忙於做食材分析的時候，陳金花站在我的面前，一本正經地對我說：「Elisa，我有一隻假眼，你看得出是哪一隻嗎？」我心頭一顫，立即轉頭看一看他，他的雙眼瞪著我。他嚴肅的神態中，流露出一絲狡獪的意味，我憤怒地大聲說：「走開，你不用裝神弄鬼，我要工作呀！」我看穿了他的鬼把戲，他自討沒趣，只好垂著頭返回自己的辦公桌，其他同事看見他的表情，齊聲哈哈大笑。

一個風和日麗的週末，公司各部門同事聚會。陳金花故技重施，對另一個部門的女同事說：「艷麗，我有一隻假眼，你看得出來嗎？」艷麗品性溫婉善良，相貌卻像某艷星。

我們化驗室的同事一起看熱鬧。在眾目睽睽下，我不便揭穿金花的詭計，心想：艷麗應該不會相信他的胡言亂語吧！

艷麗認真地凝視著金花的雙眼，猶豫片刻，欲語還休，最後鼓起勇氣，用手指著他的右眼，高聲說：「這一隻眼！」金花煞有介事地對艷麗說：「不要太大聲，你真的看得出來？不要告訴別人呀！我不想其他同事知道，你心地善良，不會因為我有缺憾而看不起我，我才會告訴你。公司內只有化驗室的同事知道這個秘密。」艷麗用同情和憐憫的眼神看著金花，溫柔地說：「你放心，我一定不會告訴其他人的。」

我離職後，仍然和金花保持來往，他兩夫婦有時來我家作客。

最近的一次見面，我問金花有沒有與艷麗聯絡，他回應説：「沒有。我只在街上偶遇艷麗，發覺她蒼老了很多。」

我不忿地對他說：「你現在不老嗎？」他立刻哈哈大笑。當年他戲弄艷麗的一幕，彷佛重現眼前，我又問他：「後來你有沒有向她告知真相呀？」他笑著說：「沒有。時至今日，她還以為我有一隻假眼呢！」我們都忍不住捧腹大笑起來。

我與名醫的對話

名醫F是中醫世家，在廣州名牌醫學院畢業，獲得中醫和西醫行醫執照。當他移民荷蘭後，執業資格卻不受認可，他只能幹粗活糊口。所謂「真金不怕紅爐火」，經過重重挫折，他終於可以重操舊業。因治癒肺癌患者，F被喻為神醫。他治癒記者的皮膚頑疾，登上報章頭條，譽滿杏林。F已經退休，我們一起外遊。晚餐時，我們喝完紅酒，再喝二鍋頭，然後F暢談他的經歷。

F初到荷蘭，遇到學歷不予承認的問題，即使身懷濟世之才，仍然不能學以致用，只好在中餐館洗碗碟謀生。他住在難民營的時候，竟然被一群同胞「精英」欺負。

「精英」甲問F：「你認識東山一條龍嗎？」他立刻回答：「不認識。」「精英」甲不屑地說：「東山一條龍你都不認識，你真是好打極都有限啦！」我立即問名醫：「你有否告訴他，你是香山一條蟲，又怎會認識東山一條龍呢？」

名醫笑著說：「那時我怎會懂得如此幽默呢？當時我感到非常自卑，覺得這些『精英』都是人中之龍，自己靠勞力謀生，他們則靠智力。」

我又問：「什麼時候你才認清他們的為人呀？」

名醫回應：「直到他們找我一起去旅行。乘車時，理應由前門上車付款，他們七人卻從後門登車，司機見我們同是黃種人，認為他們都是我的朋友，便從我的乘車卡蓋印，由我支付八人車資。我問他們原委，他們齊聲大笑，我才醒悟自己被當作傻子戲弄。」他稍為停頓，笑著說：「他們人多勢眾，仍然不敢太過份，因為他們不懂英語，很多時候都需要我擔任翻譯員。有一次，在酒店裡，房間的門鎖壞了，他們要我幫忙找酒店管事處理。」

其後，F 在荷蘭開設私人診所，譽滿歐洲，偶爾也會惹來意想不到的麻煩。

偷渡客

名醫F從中國來到荷蘭，幾經波折，才能獲得居留權，開設私人診所。他宅心仁厚，除醫術了得，更樂於助人。同胞遇到危難，急需求助，常找名醫。

某天，兩個中國青年扶著一個三十多歲同胞，闖進診所，二話不說，把患者放下，然後立即離開。名醫詢問患者有什麼不適，他只說了「腳」一個字，便呈現休克的症狀。

F為患者作簡單的檢查，證實他的腿部有三處骨折，包括：股骨、脛骨和腓骨。名醫斷定傷者是從高處墜下，見他生命垂危，馬上報警。警察瞬間到達診所，救護車隨後抵達。救護員詢問F：「誰人支付救護車的費用呢？」F回答：「由警察負責。」這即是荷蘭政府付款。原來叫救護車是要收費的，一般由保險公司支付，由於傷者來歷不明，理應沒有購買保險，只好由政府付費。

荷蘭的救護車上有醫生陪同，F即時告知這位醫生，傷者狀況源自疼痛性休克，F已為他注射嗎啡。止痛後，傷者的病況已穩定下來。他被送往醫院，治療創傷性骨折。

名醫夫人告訴我們，那兩個人把傷者扶入診所，其實並沒有離開，只是躲在診所附近，暗中觀察情形。

我的腦海中浮現出一幕幕華人的尋金場景：他們在陌生的遠方，以為辛勤地工作，能夠掘出第一桶金，脫離貧困的境況，甚至夢想將來可以光宗耀祖。結果偷渡客為逃避追捕，意外受傷，性命危殆，連醫療費用也付不出。伙伴只好把他丟棄到華人診所，希望他得到救援。

名醫告訴我，他報警是害怕非法勞工死於診所，便會惹來麻煩。傷者的伙伴也是偷渡客，他們擔心同伴的安危，才躲起來，窺探同伴的情況。這是感人的一幕，也是華人尋金血淚史的真實寫照。

能醫不自醫

當年，名醫雄心壯志，出國闖蕩，在荷蘭行醫數十載，他嘗到鄉愁之苦，更察覺到祖國已今非昔比，因此回歸祖國，安享晚年。他在珠海和石岐都有房子，生活樂也融融。

珠海的房子，有魚池，有前後花園，園內種植了果樹、蔬菜和花卉。早上，名醫喜歡捕捉菜蟲餵食魚兒。我們探訪名醫，他會親手摘菜，讓太太炒給我們吃。我們離開時，他拿了帶鉤子的竹竿，摘取木瓜送給我們。這樣的生活，應該身體健康！想不到，名醫能醫不自醫，住進醫院。

今天，我致電問候名醫，才知道他住進醫院兩週，剛回家兩天。他告訴我，在荷蘭生活時，常吃深海魚，又喜歡吃牛雜。日子久了，他患上痛風症。

農曆新年期間，朋友歡聚，名醫經不起他們的盛情，吃了不少平時戒吃的食物：蝦、鮑魚等海產。

新年過後，他的痛風症發作，炎症嚴重，血壓飆升，晚上失眠，他嘗試了二十多款血壓藥，情況仍然沒有好轉，更加日益嚴峻。他看了多位醫生，有的説他吃了痛風消炎藥，致使血壓升高，有的説他吃了血壓藥，導致痛風藥無效，炎症失控。經過多番折騰，他只好回到廣州，向老師求救。老師告訴他，他的血壓已達到高危狀況，他要盡快進入大學城醫院作全身檢查，接受治療。老中醫立即寫轉介信，安排他入院。

他等了兩天才有床位，入住風濕科的一間雙人病房。病房卻額外添加了一張床，變成三人房。

他在醫院期間接受全身檢查，包括超聲波、磁力共振、掃描、驗血等。現在，他的血壓和痛風症已受控。經此教訓，我希望他以後緊記忌嘴。痛風症不能根治，要長期服藥，必須戒吃高普林食物，例如內臟類、海鮮類、菌類和豆類食物，也要戒酒，尤其不宜喝啤酒。

他告訴我，大學城醫院的醫療設備非常先進，環境優美，服務周到。三餐自選，菜式豐富，價廉味美，整天伙食費只是數十元。他住了兩星期，全身檢查，食住醫療費合共只是一萬多元人民幣，非常超值。

醫院採用中西合璧療法，分科仔細，效果顯著。我說：「這樣很不錯哦！我們香港人能去做身體檢查嗎？」

他說：「哪有床位呀！」我問：「你為何不住單人房呢？」

他說：「單人房被土豪霸佔了！」

掛斷電話後，我心頭縈繞的是，血壓藥和痛風藥都有相沖相剋的情況，我們日常的食物，哪些是相沖相剋的呢？我們都要小心飲食，注意健康啊！

人情練達

「世事洞明皆學問，人情練達即文章。」這是《紅樓夢》第五回中的一副對聯，也是我小學畢業紀念冊的留言。可惜，我沒法做到人情練達，總覺左右做人難。

我是土生土長的香港人，自小在教會學校接受教育，得到修女諄諄教誨，立志做一個負責任、率直、有愛心的人。

離校多年，我仍然與中學校長丁修女保持聯絡，偶爾返回母校探望她。即使我和她都退休了，有空仍然會相約見面。

我投身醫護界，盡心盡力為病人服務，從不計較超時工作，這是受到丁修女無私精神感召。我為了照顧家庭，放棄理想，離開護士行業。我協助丈夫營商，仍緊記善待員工，從另一方面傳遞愛的信念。我堅信自己是熱血戰士，真性情的人。然而，經歷漫長的歲月，我心裡的熱情冷卻了，開始喜歡清靜，喜歡獨個兒看書、練字和寫文章，遠離人群。

人要群居，也要獨處。我嚮往離群生活，最主要的原因是我怕是非纏身，熱心反而帶來煩惱。

當年，我協助丈夫經營公司，聽聞某長輩患病，專程陪她看醫生。數日後，我在公司上班，致電問候她，她問我有否吃早餐。我回答她說：「剛吃了，我與丈夫分享一份外賣早餐。早餐有大碗牛肉麵、牛油多士、火腿煎蛋和奶茶，我吃不了那麼多，兩人吃份量剛剛好。」

翌日，妹妹來電，問我是否告知長輩一份早餐兩人吃，我問妹妹說：「這是事實，有問題嗎？我真的吃不完，兩人分享剛好呢！」

妹妹勸我説：「你不能對人太坦白，長輩對我講，你又不是沒錢，為何一份早餐兩人吃，如此吝嗇！」

聽到妹妹的話，我感到匪夷所思，想不到説真話是不對的。我不喜歡浪費食物，這應該是美德，何以長輩譏諷我呢？如果我真的吝嗇，就不會為她支付診金！她既不感恩，又在背後非議我，令我後悔對她太好了。陪伴她看病治療，這應是她子女的責任，我何苦枉作好人？我首次體會到好人難做，坦率也不成？難道為了面子而説謊嗎？

另一個好人難做的例子：

丁修女退休，中文科老師邀請同學和我到她家，為丁修女舉行歡送會。我答應任職銀行高層的同學，到文華酒店購買芝士蛋糕。聚會當天，我到達文華酒店才知悉店內裝修，只好改往另一家餅店。買不到芝士味，我隨意選了栗子和雜果兩款蛋糕。當天晚上，各人都對蛋糕相當滿意，那位愛吃芝士的同學也讚賞栗子蛋糕很美味。我拒絕收回購買蛋糕的費用，同學們難得聚會，開心便好，何必斤斤計較。

當晚，賓主盡歡。後來才知道，我又好心做壞事了。歡送會後，任職校長的同學對我説：「中學畢業後，我們幾個同學都保持聯絡，當中有人生日，總會相約聚餐，一起吃蛋糕慶祝。每次她們都買文華酒店的芝士蛋糕，我明言不吃芝士的。她們竟然這樣回應：那你就不要吃，我們吃！她們只顧自己，不顧及別人感受，妳購買兩款蛋糕，讓人有選擇的自由，所以我決定不再參加她們的生日會。」聽到她的話，我無語了！我想不到無意中影響了她們多年的友情！

現在，我喜歡遠離人群，沉醉書香，自修學問，起碼不用擔心好心做壞事，眾口鑠金，令自己不快。偶爾，我仍然會相約品德高尚、志同道合的朋友聚會。我看《曾國藩家書》，才知道曾國藩一生都謹言慎行。即使成功，他也太辛苦了！人不是為別人而活，率性而為，暫且離群，是人生快事。因此，我永遠都做不到人情練達，你能做得到嗎？

《姊姊的守護者》

《姊姊的守護者》（My Sister's Keeper）是一齣發人深省的電影。故事內容：一名母親為了挽救患上白血病女兒的生命，不惜放棄律師工作，全職照顧女兒，甚至多生一個孩子，讓妹妹為姊姊延壽。

十一歲的妹妹多次進出醫院，飽受折磨。姊姊患了腎衰竭，母親命令妹妹捐一個腎臟給姊姊。妹妹找到一名家喻戶曉的大律師幫忙，控告父母不顧她的意願而強迫她捐腎，更有文件證明。在十一年間，她接受了八次手術。六歲時，她在手術後出現併發症，需要留院六天。

電影從不同的角度描寫各個人物的心理狀況。首先，當然是姊姊的守護者：妹妹。她認為，很多孩子都是意外地誕生，這或許是男女酒後糊塗，或許是男女服用興奮劑後造成失控等[註17]。她指出，自己的出生並非意外，而是要救活姊姊，這是父母的刻意安排。

姊姊的心裡對家人充滿感激和歉疚。她知道，母親為了她放棄事業，弟弟患有閱讀障礙卻遭受忽略；妹妹自出生開始便要不斷被抽血、抽骨髓，遭這些穿刺手術弄致身心受創。全家人都以姊姊為中心。

母親是一位漂亮聰明的事業女性，為了女兒，甘願捨棄律師的工作；為了女兒，情願剃光頭，陪伴女兒融入社會。

父親為了患病的女兒，願意獨力承擔家庭責任，辛勤工作，對妻子言聽計從。直至小女兒委託律師，控告父母不斷剝奪她的身體自主權，父親才注意到這些行為對小女兒的傷害。

電影中描述的家庭充滿愛，即使是患病的女兒總是笑容滿臉的。在醫院，患病女孩遇上患病男孩，兩人墮入愛河，……男孩開心地說：「我慶幸患上此病，才能在醫院裡遇見妳。」女孩笑著回應：「我也是。」兩人四目交投，感到此生無憾了！翌日，女孩再找不到男孩，男孩悄悄地離開人世！

在法庭上，母親質問小女兒：「妳為什麼這樣做？妳知不知道不捐腎給姊姊，姊姊會怎樣？」小女兒憤然回應：「我想有正常人的生活，知道不捐腎給姊姊，姊姊會喪命。人總是會死的！」母親疑惑地說：「我知道一定另有原因，妳要坦白告訴我！」最後，弟弟坐在觀眾席上大喊：「說出真相罷！其實姊姊想死呀！」

母親大吃一驚，馬上大叫起來：「我不信，她想死？她為何沒告訴我？」弟弟和小妹妹異口同聲說：「她曾經告訴妳，只是妳置之不理。」父親也忍不住說：「她已經告知了妳幾百次呀！」

母親為何會聽不到大女兒的哀求呢？因為母親太愛大女兒，不願承受失去她的痛苦。母親不惜一切，為了延續患絕症女兒的生命，寧願傷害小女兒的身體，這是對的嗎？

患病女孩，最後的心願是到海灘去。父親徵詢主診醫生的意見。醫生認為，患病女孩受盡病魔折磨，想往海灘走，這也沒什麼大問題。她能夠完成心願，可能是一件好事。醫生於是批准患病女孩出院一天，她在晚上七時送回醫院便可。

一般人身體健全，行動自如，從來不知道唾手可得的事物，這可能是別人夢寐以求的希冀。例如：看看藍天白雲，欣賞小鳥飛翔，便是瞎子遙不可及的夢想，我們卻不懂珍惜身邊的一切！

父親為了完成女兒的心願，帶她離開醫院，打算一家人到海灘。妻子卻認為丈夫這樣做會害死女兒，堅持要立即送她返回醫院。丈夫堅定地說：「十四年來，我對妳千依百順，今天妳要聽我的，一起去海灘，否則我要和妳離婚！」妻子仍然不肯罷休，丈夫推開妻子，駕車送孩子去海灘。

一幕幕漂亮、溫馨的畫面：夕陽西下，海鷗飛翔。兩個小孩在海灘嬉戲，患病女孩輕倚在父親的肩膀，臉上泛起甜美的笑容。母親駕車前來，親吻父親，兩人和好如初。女兒的眼睛也充滿笑意，母親把女兒輕擁入懷。

我念預科時，曾經與生物科老師討論安樂死的話題。這齣電影，令我再次想到人對生死的自主權問題！同時，電影提醒我們幸福並非必然。擁有健康的身體，行動自如，已經是難能可貴的事呀！

註 17：這是歐美國家的普遍想法，與華人社會傳統傳宗接代的觀念不同

永別

世事的變幻，總讓人猜不透。我與你相知相交，真誠相待，誰料你的人生路是如此短暫。

在漆黑的夜裡，我看著窗外，天上朗月散出銀光。雖已過驚蟄，仍感乍暖還寒。淒風撲面，令我百般滋味在心頭。這夜色似曾相識，但與記憶中的感覺大相徑庭。

那夜，我們都充滿歡欣喜悅。你在百貨商場租了一個小舖位，出售年宵精品。下班後，我匆匆趕來做義務售貨員，才發現自己的口才真的不錯，三言兩語便能把小飾物售出。凌晨時分，你送我回家，我坐在你的摩托車後座，心中既興奮又緊張。我其實並非首次乘坐，也曾駕駛摩托車。只是我很少夜歸，心中難免忐忑，既怕父母擔心，又怕父母責罵。然而，自我滿足感戰勝一切。

你的生意頭腦、學識和判斷力都讓我感到意外。當年，你只是弱冠之年，已是攝影導師、旅遊從業員。你教我彈結他，我拿著結他自彈自唱，滿心歡喜。這些美好回憶，豐富我的人生。你邀約我外出拍照，為追求完美，由九龍走到港島追逐陽光。忙了大半天，你只拍了一張照片。我埋怨你，責罵你，你也不生氣。我結婚時，你擔任義務攝影師，無論在彭福公園拍攝戶外婚紗照，還是在婚宴時拍攝的裙褂照，你都盡心盡力，為我們留下人生最美的時光，謝謝你！你做事的認真態度，這令我深信你會成就一番事業。

「禍兮福所倚，福兮禍所伏」。由於你的聰慧和努力，你很早便置業。你告訴我，自置的物業裝修得太美了，你捨不得租出去。居住和工作地點距離較遠，你每晚都要拖著疲累的身軀回家。豈料一次交通意外，別人的不負責任，卻令你六個月大的女兒頓成孤兒。

我凝望明月散發著寒光，緬懷昔日的歡樂，緬懷你為我拍照時的情景。我們都是做事認真，待人以誠的人，能做到無所不談的好友，誰說男女不能成為知己？只可惜你離開時，我不在香港，未能送你最後一程。但願一切隨風，你一路好走。

浮光掠影

人生常變幻，世事總飄搖。

百世權謀略，一朝風雨消。

浮光隨影逝，濁浪伴風招。

活劇循環現，星霜漫寂寥。

退休的生活

每個人都有自己獨特的人生，無論是平凡還是精彩，是稱心還是揪心，是從心所欲還是身不由己。我們到了兩鬢如霜的年紀，離開工作崗位，就要適應退休的生活。在油盡燈枯前，好好享受啊！因為這是大家應得的。

有些人度過多年為口奔馳的生活，身心疲累，當鞏固好經濟基礎，不用再為五斗米折腰的時候，自然嚮往退休生活；有些人經濟拮据，自然害怕失去工作，畏懼退休生活。多年前，我協助丈夫管理公司的時候，對退休生活趨之若鶩。我希望在有生之年，多學多看，遠離名利場，過些自由自在的生活。

我告知一位醫生朋友，打算退休，他勸告我說：「千萬不要太早啊！」我了解他的好意，他擔心我離開工作崗位後，我會無所事事，因而引致思維衰退，影響身心健康。我明白，凡事都有利必有弊，有得必有失。如果我能夠及早部署，應該可以適應。在計劃過程中，我用了大半年時間，安排個人退休後的生活。我把工作量減少，學習不同的課程，例如爵士舞、素描、油畫、氣功、太極等，還有遠足、旅遊和看書。

二〇〇七年初，我便退休了。同年十月，我到香港公開大學讀書，為了鞏固基礎，認真學習，每年只選修二至三個學科，花了七年時間才完成「中國人文學科文學士」課程。畢業後，我用自修的方法，閱讀學長贈予的《歷代散文》單元，並看了各類書籍，包括《朱自清經典》、《魯迅經典》、《季羨林散文經典》，還有唐詩、宋詞、小說和新詩等。二〇一八年至二〇二二年，我報讀南溟詩社和茶文化院的不同課程。

我們讀書便是要明白事理，知所進退。人只要盡了本份，就可以心安理得，便算不枉此生了。即使主婦留在家中照顧孩子，也是對社會有建樹的，孩子長大，成為社會棟樑，你便可以退休了。人見白頭嗔，我見白頭喜，多少少年亡，不到白頭死。因此，好好享受暮年，落日鎔金，晚霞是最美的，千萬要珍惜餘下的每一天！

閒情賞美

良儔伴我樂呵呵，細賞詩詞偶詠歌。

有意求真尋美學，無心訪道作仙娥。

遙觀巨鳥沖天際，近見飛船濺浪波。

月掛梢頭風凜凜，時光荏苒莫蹉跎。

命懸一線（我丈夫的自述）

一九七七年，我在廣州國營機構任職，偶爾要到外地辦理公務。我曾經數次乘坐跨省長途公車往廣西出差，道路崎嶇不平，真是令人苦不堪言。可能我的工作態度良好，我終於苦盡甘來，領導批准我乘坐飛機到廣西出差。我從未坐過飛機，心情既興奮又期待。然而，世事難料，我的美夢竟變成惡夢。

星期六的下午，即出發前兩天，我返回公司收拾出行物品，然後騎自行車歸家。途中，我突然感到呼吸困難，胸口劇痛，我心知不妙，幸好朋友住在附近，我立即前往他的家。他見我臉色蒼白、氣若游絲，立刻叫了三輪車送我到附近的中醫院。

下午四時，我在中醫院的急診室。經檢查後，醫生說：「你要到大醫院求診，我們幫不到你。你的單位與哪間醫院掛鉤？你盡快去罷！」

看到醫生緊張的表情，我明白自己的性命危在旦夕。當時我連呼吸都感到困難，故不得不撒謊，否則性命不保！我知道，廣州最好的醫院是中山醫學院，就在附近，我便對醫生說：「中山醫學院。」其實，我的單位與 XX 醫院掛鉤，該醫院路程遙遠，設備簡陋。

傍晚時份，我到達中山醫學院的急診室，登記處職員就問我：「什麼家庭成份？」我已頭昏腦脹，難以呼吸，仍要交代家庭成份？我父親曾在舊政府當軍政人員，後來辭職轉行從事手工製品工作，故劃分成份為手工業。我於是回答：「手工業。」

醫生即時安排我照 X 光。醫生看完 X 光片後對我說：「你的右邊肺部肺氣泡破裂，空氣進入胸腔，擠壓肺部，現在肺部只有一成功能，你要馬上做穿刺手術放氣。」我簽署手術同意書後，醫生使用一支粗針筒，把又長又粗的針嘴穿刺我的皮膚，進入肌肉層，再到胸腔，抽出空氣。我的呼吸情況略為改善，但身體仍然虛弱無力。

醫生為我治療後說：「你患了氣胸，我已幫你做了緊急放氣，你要留院，明早還要做胸腔封閉式引流手術。」

朋友替我辦理入院手續後，我請他盡快通知我工作單位的領導，我因急病入院，不能出差，要取消機票。

翌日早上，單位領導出現在我的床前，臉露不悅，說：「你知不知道我們單位掛鉤的是XX醫院？為什麼你會入住中山醫學院？」我說：「當時情況危急，我呼吸極度困難，剛好在中山醫學院附近，所以馬上到醫學院急診室。」

這時，主診醫生帶了六個醫科生進來，看見我的領導，大聲問他：「你是什麼人？」沒等領導回答，醫生喝斥他說：「出去！我要做手術！」我的領導平時作威作福，想不到在醫院裡，被女醫生當眾吆喝，頓感面目無光。為了顯示權威，他對我高聲說：「放心養病，你的醫藥費，我會批准你報銷。」然後，他才悻悻然離開。

醫生在病房替我做胸腔封閉式引流手術。她取出一支空心鐵管，對醫科生講解如何插入肺部，大概選第幾條肋骨之間，還要注意扎入多深。然後，醫生幫我注射麻醉藥，選定正確穿刺位置後畫上記號，用刀片切開了一個約二厘米的小孔。醫生拿著一支圓珠筆粗的空心鐵管插入小孔；她借助身體的重量向下壓，使鐵管插進胸腔。我感覺恍若萬箭穿心，受著「酷刑」。醫生滿頭大汗，對醫科生說：「這個人的胸肌太厚，鐵管要再插入一些才行。」我聽到她的話，差點昏倒，剛才那些原來只是熱身？醫生休息一會兒，又精神抖擻地把鐵管緊握在手，用盡全身力氣，把鐵管插入我的胸腔內。我咬緊牙關，再接受「酷刑」的煎熬。

手術後，我的身上仍然掛著放氣的鐵管連接引流管，要待胸腔內的氣體完全排出，肺部裂口癒合，不再漏氣，我才可以出院。

我住院二十天，出院時腳步蹣跚。我回想自己往日健步如飛，身強體健，每天運動兩次，早上五時起床，跑步四十分鐘；吃早餐後，到越秀公園游泳四十分鐘，再吃早餐，然後才上班。究竟我是否運動過度呢？想不到一場病，不到一個月的光景，病魔便把我這個二十二歲的青年，折騰成佝僂老人般失去活力，還把我飛向天上的美夢粉碎。但我細心一想，如果出差後才發病，我肯定會一命嗚呼。目的地是極落後的山區，沒有醫院，我何來診治呢？雖然我受到肉體上的痛苦，但是總算有驚無險，真是不幸中之大幸！

姻緣

一九七八年，小張由廣州來到香港定居。同年，他因呼吸困難到公立醫院急症室求醫，確診氣胸，需要住院治療。當時我是護校學生，在內科病房實習，瞧見新收病人小張沉默寡言，他整天看書，我還以為他是大學生。他住院期間，我沒看見他的家人來探病。後來我才得悉，他由穗城移居香港不久。他請求我幫忙到圖書館借書，我滿口答應。出院時，他又懇求我介紹夜校，有志進修英語。我見他孤苦伶仃，一口應承相助。

我們首次約會，他建議到旺角旋轉餐廳晚膳，我不想他太破費，提議改去花園餐廳。後來我才知曉，當時他來港未幾，只聽說香港有一間旋轉餐廳。他做東道，竟把手錶拿去典押。幸而我們改往較便宜的餐廳，否則他可能不夠錢結賬。

我帶著他到山頂觀賞香港夜景，趁機告訴他我已有男朋友。他平靜地說：「我沒有什麼企圖，只希望與你交朋友。」後來，他才剖白心跡，原來他在病房遇見我，已認定我是他的終身伴侶。雖然我表明已有男友，但是他的信念沒有動搖過。他認為，我尚未結婚，他仍然還有希望。

當晚，我們乘坐小巴到「老襯亭」，再步行往山頂，途中有幾段斜坡，他感到氣喘，需要多次停下來休息。回程時，他竟然唱起歌來。一曲〈天涯孤客〉，令我產生憐惜之心。然而，當時我覺得，我倆成長背景不同，沒有可能發展為情侶關係，只可以做朋友。

後來，他告訴我，很多女生對他大獻殷勤，他都不為所動。他從未墮入愛河，想不到因氣胸復發入院，與我認識交往，因而讓愛的種子萌芽。

相交一段日子後，我發覺這年輕人心地善良、很有志氣、性情和順。我終於接受他，我倆成為戀人。我們到沙田萬佛寺遊玩，登上萬佛塔。在塔頂，他向我表白，他將會創業，希望我等他四年，待事業有成，我倆一起組織家庭。我坦言不會作出任何承諾，只會不斷觀察。只要值得，無論多少年都會等下去，否則我會立即離開。

不久，他開始創業。我一直輔助他，下班就到他的工廠幫忙。經過多年的努力，我們終於為未來發展奠下基礎。

一九八二年，我倆共諧連理。今年是結婚四十週年（紅寶石婚），小張也變成老張了。

心曲

愛借詩詞訴寸衷，芳心翰墨匯情濃。

松梅焉懼星霜換，宿世姻緣暗喜逢。

觸景生情

我看到窗外朦朦朧朧的景物，聽到淅淅瀝瀝的雨聲，因而浮想聯翩。

情隨景生，故有觸景生情之語。同一風景，每個人會有不同感受。尤其是騷人墨客，他們把所思所感化成文字，觸動人們的心弦。白居易在《琵琶行》中，「大弦嘈嘈如急雨，小弦切切如絲雨，嘈嘈切切錯雜彈，大珠小珠落玉盤」，「嘈嘈切切」，既描寫琴聲，也描寫人生的轉變。「大珠小珠落玉盤」，形容琵琶女彈奏琵琶時的節奏。原本是一幅雨點滴在荷葉的浪漫圖畫，白居易卻把雨景比喻作人生，借此帶出琵琶女由繁華轉為落寞的際遇。

電影營造氣氛，常借助天氣，例如連環殺手便喜歡雨夜殺人。下雨天，抑鬱症病人容易情緒低落。沉醉愛河的人卻喜歡雨天，尤其是愛侶在傘下漫步，既浪漫又溫馨。

二〇二一年十二月，新冠病毒在香港爆發第五波。二〇二二年首季疫情嚴峻，每天有數萬人確診，醫療系統崩潰，長者院舍淪陷，香港特區政府於是推出「限聚令」，建議市民儘量留在家中避免病毒傳播。我坐在窗前，聽到雨滴聲，不期然想起貧窮的童年生活。當年我住在元朗洪水橋中興園的鐵皮屋，每逢下雨天，床頭和床尾都要放置膠盆來盛載雨水，整夜我們都聽到「大珠小珠落膠盆」的聲音。

下雨天，有人心情鬱悶，有人卻覺得浪漫。喜雨苦雨都是大自然的一部分，順境逆境也是人生交替出現的。雨過天青見彩虹。丈夫和我喜歡旅遊，最難忘的一次是遊覽中國安徽省的黃山。某年，我們抱著興奮和期盼的心情到達黃山，卻遇著大雨如注，連「迎客松」也看不清，心情頓時跌落谷底。我告訴自己，既然改變不了，只好適應環境。我調整心態後，立即抖擻精神，到小店購買雨衣雨褲。為什麼不用雨傘呢？這是因為雨勢太大，打傘也是徒然。

這兩天雨勢滂沱，沒有一刻停下來，我們只好在傾盆大雨下參觀景點，並拍下朦朧的黃山景色。第三天早上，我們準備離開，晨曦散發出金光，雲海飄浮，仿若人間仙境。雲海是大自然現象，可遇不可求。因應環境轉變，導遊徇眾要求，同意讓我們延遲半天才下山，重遊重要景點。我們想不到隨後還有驚喜。

天氣突變，再來一場喜雨。由於山上氣溫低，頃刻雪花紛飛。驟雨過後，四周的蒼松古柏，在枝頭上都有晶瑩的冰掛，白濛濛的景色，真的太漂亮了！團友們忍不著歡呼狂笑。

午餐時，我用古詩記錄這次黃山遊歷。

黃山遊記

久聞黃山景緻豐，今到黃山霧迷濛。

風吹雨打無所懼，齊攀絕頂觀奇松。

天青雨雪瞬間變，雲海峰巒相交纏。

飽覽勝景償素願，如詩似畫樂綿綿。

二〇一九年，我從美國回港後，已三年因疫情沒有外遊。今晚我在家中觀雨景，聽雨聲，因而回想起多年前遊覽黃山的經過，重溫鬼斧神工的大自然勝景，境從心生，豈不快哉！

第四輯：美國生活實錄

中美文化差異之親子情

中國有幾千年歷史，是文明古國，受儒家思想薰陶，講究禮教、孝道、重視倫理關係。美國是超級大國，自由的象徵，很多人夢想能到美國生活，以為到了美國定居，便是人上人。中國人以家庭為中心，美國人則以個人為主。

中國家庭的父母，大多望子成龍，只要能力所及，都希望子女負笈花旗，他們畢業後留下來發展。大量內地同胞花費二十多萬人民幣到美國產子，子女入籍美國，享用十三年免費教育。父母一心為未出生的子女計劃未來，不會考慮子女融入美國文化後，他們會否孝順自己。

據二〇一一年五月一日美國《世界周刊》的專題報導：「孝道不再」，內文講述：「美國華人家庭的矛盾和衝突相當普遍」，兒子和媳婦都是高學歷人士，遺棄父母，比比皆是。

其實，中國各地的地域文化和父母移民美國有多久，這對中國家庭的和諧都有影響。當然，個人的性格也是因素之一。

有些父母移民美國多年，已適應當地文化，對子女背棄中國的傳統，凡事以「自我為中心，為自己利益著想」的行為，只能無奈接受。有一類父母，擁有經濟能力，從香港或台灣寄錢，供孩子完成學業，還幫助他們置業。這樣的父母，退休後才移民美國，雙方關係一般都不會太惡劣。

出現問題最多的是，父母學識不高，或有高學歷而分析力不足，以為孩子移居美國，自己便臉上貼金。當子女要求他們到美國照顧孫兒，他們便以為一家團聚。父母來到後，能夠通情達理，還可共處一室；如果父母不懂分寸，以長輩身份事事過問；當孫兒長大後不用照顧，子女便會要求父母另覓居所，或勸説他們返回中國，或送他們到老人院終老。

廣州報章稱赴美照顧孫兒的老人為「賤骨頭」。其實，真正的愛是理應為對方著想，父母為子女無私的奉獻，是心甘情願的，至於是否值得則見仁見智。當然，如果子女不尊重父母，只是利用親情來佔便宜，這樣的子女就不能縱容了。

圖書館

美國重視孩子的教育。小孫兒三個月大，我女兒每星期都會帶他去圖書館。二〇一七年八月，我們到美國探望女兒，陪伴她和孫兒到圖書館。

美國的圖書館，定期舉辦活動給不同年齡的兒童參加。兩間圖書館在女兒的家附近，每星期都有圖書管理員講故事給孩子聽。圖書館 A 的活動時間是星期三下午，服務對象是零至七歲；圖書館 B 在星期四早上十一時舉辦活動，服務對象是零至三歲。

由於女兒在星期四會帶我們到面書（Facebook）公司吃午餐，所以她提早一天帶兒子到圖書館 A。參加活動的兒童，大多數是三歲以上。

下午五時半，寬敞的活動房間，有十多位活潑的孩子和兩個手抱的嬰兒，分別由家長或保姆帶來的。圖書管理員笑容可掬地取出一隻色彩斑斕的母雞玩具，告訴孩子們：「這一天是母雞的生日，究竟牠是幾多歲呢？」她讓孩子猜猜，一個可愛的小女孩天真地說：「八十三歲」，另一個則說：「八十一歲」。圖書管理員微笑著說：「這天是母雞的兩歲生日。」然後鼓勵大家一起為母雞唱生日歌。

大家唱完後，圖書管理員問我們：「哪位會用另一種語言說『生日快樂』呢？」我立刻用粵語說「生日快樂」，老張則用普通話，然後有人用西班牙語，有人則說一些我聽不懂的語言。互動遊戲後，接下來是講故事時間。管理員拿著書本，一頁一頁地講故事，其間會問孩子問題。

她講完《公主的故事》後，再說《牛的故事》。她溫柔地說：「今天是牛的兩歲生日，牠的朋友為牛舉辦生日派對，商量在蛋糕上應放些什麼？有動物建議置放蠟燭，鴨子卻堅持擺放白蘿蔔。當牛看到生日蛋糕上的白蘿蔔時，牠非常高興。原來牛是很喜歡白蘿蔔的，這證明鴨子很了解牛的喜好。」從故事中，孩子知道一點常識，明白動物的特性。

活動完結前，圖書管理員帶領我們一起跳舞，簡易的動作和簡單的語言，最後她說一句：「很快再見」（see you soon）。活動只有半個小時。離開前，我們索取活動章程，得悉下星期的活動：真實的禽畜出現，包括：母雞和小白兔等，介紹給小孩子認識。

女兒告訴我，圖書館 B 在星期四舉辦活動，活動時間是一小時：首半小時圖書管理員講故事，後半小時孩子玩遊戲。由於活動對象較多嬰孩，所以故事內容較顯淺，玩具也較有趣，形式有些像香港的 playgroup。香港收費不菲，這裡卻是免費的。

汽車電影院

汽車電影院是一種露天戲院，本質上是大型停車場，客人駕駛自己的汽車入場，坐在車上看大螢幕的電影。一九三二年由美國人理察・霍林斯赫德（Richard. M Hollingshead Jr）利用廢棄的化學工廠，發明此種放映法。汽車電影院，早期採用揚聲器在停車場播放，後期出現區域廣播電台的做法，客人可以利用車上收音機收聽電影的聲音。

多年前看電影《油脂》（Grease）的時候，我認識「汽車電影院」。

二〇一七年九月一日中午，女兒建議觀看電影，讓我們兩夫婦見識一下汽車電影院。老張害怕自己聽不懂英語，看不懂電影情節，並不想去。女兒告訴父親，選了一齣動作片，父親一定看得明白。我們坐在車內看電影，還可以談談話。晚餐後，我們駕車到汽車電影院，觀賞八時播映的電影 The Hitman's Bodyguard。

女婿要留在家中照顧孩子，所以只有我們三個人去看電影。女兒竟駕駛七人座汽車，我問她為何不使用五人轎車？女兒告訴我，這是女婿的建議，可以避免被前方的車輛阻擋視線，方便我們觀賞電影。

晚上八時前，我們到達汽車電影院，購票入場，三個人收費共二十八美元，票價較香港便宜。售票員詢問我們看哪一齣電影，然後告知我們電影放映的位置和收聽的頻道。

我看見一個大型停車場，停車場內在四個不同位置放著超大螢幕，播放不同電影。女兒把車輛停在螢幕前，我細看環境，才發覺停車位呈波浪型，車頭位置較車尾高。女兒與我更換位置，她讓我坐在司機位觀看電影，這是最佳位置。

我們兩旁的螢幕都正在放映不同的電影。左邊播放由荷莉貝瑞主演的電影 Kidnap；右邊則播放動畫片。一輛七人座汽車停在右邊的大螢幕前，車上的人陸續下車，有人搬了桌子和椅子下來，並把食物放到桌子上。幾個小孩子坐在椅子上，喜孜孜地邊吃零食邊看動畫片。

我們觀看的電影片長超過兩小時，當其他電影放映完畢，便有人來向我們查詢電台頻道。

女兒告訴我：基本上，付款入場後，我們可以觀賞場內所有的電影。晚上十時多，我們看完 The Hitman's Bodyguard 後，沒有再看其他電影了。

我曾多次在電影中見到「汽車電影院」，親身體驗卻有不錯的感受。在空曠的地方看電影，偶爾抬頭望向天空，滿天繁星相伴，無論是一家人，或是情侶，或是好朋友，一起坐在車內，或是走出車外欣賞美景，都可享受歡樂時光！我喜歡「汽車電影院」。

難忘的回憶

二〇一七年八月，我和丈夫到美國探望女兒 A、女婿和外孫。原本我們打算在美國居住三個月，由於丈夫不習慣美國的生活，因此我更改機票，我們提早一個月返港。

在香港，我們每天到茶樓「飲早茶」。在美國，女兒陪伴我們去中國酒家，於早上八時多到達，酒家卻要十時才營業。「飲早茶」在香港是平常事，在美國卻成奢侈消費。美國的點心價格昂貴，食客還要支付稅金和小費。來到美國不足一個月，我們已在倒數回港的日子。雖然我們捨不得女兒和外孫，但是孩子已經成長了，我們都應該有各自的生活。

女兒 A 懂得五種語言（英語、德語、日語、國語和粵語），在美國南加州大學碩士畢業後，分別於美國和香港都找到工作，美國薪酬高，但稅金重，稅後支薪。她問我想不想她回港，如果她在美國工作，可能於當地結婚，便會留美定居。我告訴她，我雖帶她來到這個世界，但她是獨立個體，應自問喜歡在哪裡生活。她已經長大，可以抉擇自己的人生，父母盡了責任，也會有自己的生活。

當初我們送女兒去美國讀碩士時，她埋怨被放逐，所以我和丈夫每年兩次到美國陪伴她，每次居住一至三個月。女兒碩士畢業時，只有二十三歲，對自己仍缺乏信心，什麼事情都會徵詢我的意見。最後，女兒選擇留在美國發展，經過歲月的磨練，已經成為國際大機構的行政人員，也組織自己的家庭了。

二〇一七年十月，我們探訪女兒後，終於踏上歸途。我們由美國三藩市乘飛機回港，機程超過十四小時，真的是漫漫長路。

歸港後，我重溫在美國兩個月的生活點滴，有不少難忘回憶。

（一）

我最念念不忘的是我的外孫。他在今年一月出生。八月，我到美國時，他只懂爬行，未能站立。十月，我踏上歸途時，九個月大的外孫，已經可以扶著圍欄行走，甚至坐在學行車上，於屋子裡橫衝直撞了。他出生時，只有七磅；他七個月時，已經超過二十磅了。他在兩個月內的轉變真的很有趣。他喜歡笑，他喜歡音樂，他更喜歡隨著歌曲節拍扭動臀部。我唱歌，他跳舞，我陪著他一起跳舞，他開心得大笑起來，我累得氣喘，要投降了。

他喜歡吃，不偏食。女兒規定：給外孫的食物不能添加任何調味料，保姆會把食材（瓜、菜、肉類和有機米）先煮熟，用攪拌器磨成糊狀，然後給他吃。我到美國後，開始直接給他吃香蕉和瓜果[註18]。他很喜歡美味的蜜瓜、哈蜜瓜和皺皮瓜。我把這些瓜肉切成條狀，給他咀嚼。甜美多汁的瓜肉成為外孫主餐外的至愛。

女兒給外孫弄了無糖芝麻糊。我們真想不到，他向來不擇食，竟然不喜歡芝麻糊。我和女兒分工合作，我拿著條狀的瓜肉給外孫看，他立即張開口來；女兒就把芝麻糊放進他的小嘴內。他吞下去後，表情奇怪地看著我，我再給他看看我手中的瓜肉，他再次張開了嘴，女兒又把芝麻糊放進去。經歷三番五次受騙，外孫生氣了，決定閉著嘴巴。我馬上把瓜肉塞進他的小嘴裡，他吃到瓜肉後，又心動了，再一次張開嘴巴，女兒又把芝麻糊送進外孫的嘴裡去。這樣重複數遍後，外孫終於真的動氣了，什麼也不吃，從餐椅上爬起來。我看看女兒，女兒看看我，我們都忍不住哈哈大笑。如果日後外孫看到此文，希望他不要責怪外婆，主謀是他的母親。

芝麻糊含有豐富的鈣質，她希望你能夠茁壯成長，才騙你吃呀！

（二）

二〇一七年九月某天，是女兒和女婿結婚週年紀念日，我答應幫他們照顧外孫，這好讓他倆外遊慶祝。這數天，保姆上班前，我為外孫更換紙尿片，給他吃奶。經過幾天親密的接觸，我更了解外孫。

外孫是開心的嬰孩，很少哭泣。他哭的原因並不多，最常見的是肚子餓了，他想吃東西。外孫在晚上七時就會睡覺。翌日早上七時，他起床後，會在床上玩耍，直至飢腸轆轆，便會哭起來，我的女兒會給他哺乳。女兒外遊時，每天早上七時，我便開著手機[註19]，觀察外孫的動靜。他起床後，我立即從冰箱取出儲存的母乳，奶瓶盛載母乳，放到暖奶器中，加熱到適合飲用的溫度。

女兒告訴我，外孫剛九個月大時，便抗拒任人擺佈，不喜歡靜靜地躺下更換紙尿片。女兒旅行後的第一個早上，我把外孫放到嬰兒護理床上，他掙扎著想站起來，我輕聲對他說：「我知道你肚子餓，你吃奶前先要更換紙尿片，想快點吃奶，便不要動呀。」他真的乖乖地躺在小床上，任由我處理。由此可見，九個月大的嬰兒已經聽得懂我們的話。

我幫他更換紙尿片後，便取出奶瓶，用手背測試奶的溫度，直到溫度合適才給他享用。他躺臥床上，雙手抱著奶瓶，自己喝奶。我預備了八安士半奶。第一天早上，當喝剩兩安士奶時，他拿起奶瓶，看一看還餘下多少，然後愉悅地繼續喝奶。他喝完奶之後，我將他抱起來拍嗝。隨後我抱起他下樓，把他放進他的玩具王國內，他會自己玩耍，我和老張就去吃早餐了。

第二天的早上，我依照第一天的步驟，如法泡製。當奶瓶裡還剩下兩安士奶的時候，他便不願再吃了。我把奶瓶放到床頭櫃上，外孫爬起來，坐在床上。我知道，他沒有吃飽，只因胃內有氣體，感覺不舒服。我於是唱著歌，他在床上隨著拍子扭動臀部。不一會，他便「嗝」的一聲，把胃裡的氣體排出來。我把奶瓶遞給他，他就躺下，吃光剩餘的奶了。

（三）心靈創傷

二〇一七年，我到美國探望女兒，我們一起外出時，她剖白一件埋藏在心裡多年的童年往事，我淚如雨下，徹夜難眠。究竟是她的心靈受創？還是我的情感受傷呢？剪不斷、理還亂。我希望這件往事會化作一縷輕煙隨風去。

一個風和日麗的早上，女兒和女婿都放假。我們在家吃完早餐，便心情愉快地乘坐七人座汽車，前往郊野公園。丈夫和我坐在汽車後座照顧外孫。美國法例規定，孩童必須有獨立安全的座位。女兒坐在副駕駛位置，漫不經意地說：「如果兒子到了可以看電視的年齡，我會規定他每天只能看一小時。某天他突然要求增加一小時，我應該怎麼辦呢？」

我嚴肅地說：「無規矩不能成方圓，當然不可以啦！」

女婿回應說：「我會告訴他今天可以看兩小時，明天就不可以看電視！」

這一刻，女兒氣定神閒地說：「我記得讀小學時，有一次爸爸答應我做完功課就可以看電視。我做完功課後，開心地告知爸爸，爸爸卻說要先問過媽媽。此時此刻，我已經知道，媽媽不會讓我看電視了。我哭了很久，最後還是未能如願。」

聽到女兒的話，我真的心碎了。我仍然故作輕鬆地問：「你恨爸爸，還是恨媽媽呢？」

她堅定地說：「兩個都恨！」

我平靜地說：「答應你的，是爸爸，不是我，你為何要生我的氣呢？」

她憤懣地說：「因為我有一個世界上最狠心的媽媽！」她的話，好像一把利劍刺入我的心坎，令我百感交集。回心一想，我的確是嚴厲的母親。可是，如果我縱容孩子沉迷看電視，她可以成為出類拔萃的管理人才嗎？我既悲且憤，寫了一封信給女兒，指責她竟然記著父母的「過失」而不是感激父母的養育之恩。

午夜夢迴，我簌簌淚下。或許她的內心深處確實感覺到童年沒有自由，大小事情都由母親掌控。其實，我並不是「怪獸家長」，每逢假期都會帶孩子出外旅遊，希望他們能夠擴闊視野。事實上，我有安排孩子看電視的時間。每逢週六和週日，孩子完成功課後，便可以看電視。暑假期間，除了到外國旅遊，我還會讓他們參加興趣班，例如：麵包烘焙、手工勞作班等。女兒 A 喜歡彈鋼琴，我就安排她去學。她後來考獲英國皇家音樂學院鋼琴演奏級的證書。我想不到當年的一件小事，她會心存怨懟。

世事豈能盡如人意？但求無愧於心！乖巧的女兒，把埋藏在心裡多年的不滿傾吐出來，這也是一種情緒的宣泄。我希望她在教育孩子時，她真的體會到為人父母的難處。

註 18：營養師建議嬰孩在六個月後才開始吃水果。

註 19：手機已連接到嬰兒房間的監視器。

美國的醫療制度

美國的醫療制度非常複雜，大女兒 A 在美國居住多年，仍然不大了解其實際情況。她只知道看一次普通科醫生，收費數百美元（即港幣數千元），如果沒有購買醫療保險，患者入院留醫，費用會是天文數字。差不多所有住在美國的人都會購買保險。

美國的醫療保險主要分「私人經營」和「政府統籌」兩大類。私人醫療保險公司主要透過與僱主簽訂團體健康保險，由僱主負擔大部分保費，而員工每月僅需繳付少量費用，便享有醫療保險。對於已退休的六十五歲人士、殘障或貧困者，則由美國聯邦政府統籌社會福利資源，提供免費的醫療補助。非法移民沒有合法居留身分，無法購買醫療保險。

公司在每月支付薪金前，會幫僱員扣稅、扣醫療保險等，員工實際收到的薪金只有約 55% 至 75%，按薪酬多少而稅率有異。花紅和獎金則扣稅超過 50%。

醫療保險也有不同種類，二女兒 C 購買的醫療保險，每月從薪金中扣除約六十美元。如果她要看病，必須先看普通科醫生（家庭醫生），收費十五美元。住院則一次過支付少量金錢，其他所有費用由保險公司負責。

二女兒 C 因盲腸炎入院治療，留醫超過一星期。她住的是獨立房間（初時入住雙人房，後來轉往單人房）。房間內設有獨立洗手間、手術床、醫療儀器、電話和電視等。每天有兩位專科醫生巡視病房二次。醫院供應早午晚三餐，病人隨時可向護士索取小食和飲料，例如：火雞三明治、牛肉三明治、果凍和果汁等。還有各項檢查，包括：超聲波、磁力共振、血液檢驗，提供各種藥物與靜脈輸入營養液等，C 只需支付一百五十美元。

A 購買的醫療保險與 C 不同，價錢略貴。A 可以直接看專科醫生，不用經普通科醫生轉介，要承擔住院費用的 20%。所住的醫院更為高級，服務更佳。

我的同學住在芝加哥。她告訴我，有一次半夜咳嗽得非常厲害，幾乎不能呼吸，丈夫送她到醫院急症室，當值醫生不肯為她醫治，叫她等天亮去看家庭醫生。

香港的醫療制度其實相當不錯，我在醫院工作多年，曾於急症室值班，從未見過有醫生拒絕診治病人。

團聚

二女兒C在美國南加州大學完成碩士課程後，留美工作。二〇一二年元旦，她患病入院，因闌尾炎擴散成腹膜炎，需要留院治療，一星期後才出院回家。預定三個月後再入院施手術，切除盲腸。所謂「人算不如天算」，她不久闌尾炎復發，再度入院治療。我從人生閱歷知道，人的意志力是非常神奇的力量。我不想女兒驚慌，故作輕鬆，勸慰她：只要安心休息，放鬆心情，很快便可痊癒。她留院一星期後，果然可以出院了。

三月二十一日，二女兒C第三次入院，接受全身麻醉的微創切除盲腸手術。當天早上五時半，大女兒A和二女兒C到達醫院。七時半，C進入手術室，A在醫院守候。當手術完成後，C留在康復室觀察。醫護人員待她完全甦醒過來，便交回親人照顧。十一時多，C在A和朋友陪同下出院，手術費盛惠十五美元。如果沒有購買保險，收費高達八千美元。（C購買的保險條款，看一次醫生收費十五美元，留院則收費一百五十美元，手術後不住院也是收十五美元；A購買的保險條款不同，凡入院或施手術，收費都是原價的兩成。）

二女兒C完成切除盲腸手術後，決定辭職回港，與家人團聚。

回港後，她告訴我，她的同事因盲腸炎延誤醫治，因而導致併發腹膜炎，最後病逝。當時，她不敢告知我們，怕我們擔心，經歷了病魔煎熬，深切體會到親情的重要，所以決定返港定居。

我很開心二女兒回港生活。其實，我是傳統的中國人，怎會不想把孩子留在身邊呢？然而，我也受西方教育的影響，故放手讓孩子決定自己的未來。我究竟做得對嗎？

第五輯：

詩詞

新冠疫情七首

（一）

庚子新春惡夢生，封城武漢疫橫行。

天陰地晦風兼雨，螻蟻無端火上烹。

（二）

單方受困八方援，春日紅光耀滿園。

火速神倉醫護鎮，除危救急助康元。

（三）

國內清零國外巔，新冠癘疫遍方圓。

花旗漠視生靈劫，苦海烝民命化煙。

（四）

天竺恆河岸積屍，蜉蝣嚎哭別離時。

何由疫藥多方送，惡運淒風瞬火馳。

（五）

中原解困助他邦，捐贈疫苗天竺雙。[註1]

歡聚恆河除癘害，愚民何日啟明窗。

（六）

印英多變毒橫行，四海求生盼結盟。

強國手持生死決，賒餘相贈莫相爭。[註2]

（七）

香江疫況似游絲，變類株連斷續馳。

唯冀復興[註3]**群接種，同心抗毒拒污滋。**

註1：中國抗疫成功後，捐贈疫苗到多國，被誣疫苗外交。印度出產疫苗，為求不遜於中，把疫苗捐贈多國。至二〇二一年二月二十一日，中國捐贈疫苗共三百萬劑，印度捐贈疫苗超過六百萬劑。印度抗疫鬆懈，舉辦多項宗教和社交活動，終爆發變種病毒，全國染疫和死亡人數，屢創新高。雙，動詞，追隨，跟從。「惡少愛眾，天下雙」《文子・符言》。亦可作形容詞，解雙倍。

註2：全球百多國，九成疫苗被幾個強國霸佔。美國三億人口，扣著二十六萬億劑疫苗，美更限制疫苗原材料出口。二〇二一年六月十三日G7峰會，美、英、德、法、意、加、日，商議疫情後公佈，共同捐出十億劑疫苗給窮困國家，明年底才實施。

註3：復必泰和科興疫苗

香江好

人生變幻是尋常，志毅心堅禦冷霜。

濁世山川仍俊美，香江福壽與天長。

感懷

春盡花殘莫斷腸，陰晴有序乃平常。

山川秀麗人堅毅，何懼崎嶇路漫長。

人生

紅霞落日照江城，細味浮生一鏡清。

墮葉何曾怨落泊，歸根為養命非輕。

首睹柳絮紛飛・燕京壬辰四月初十

春風擺柳舞翩翩，白絮紛飛繞滿園。

喜鵲高歌松柏綠，心馳畫幕醉忘言。

憶燕京

燕京季節總分明，吾愛春來景滿城。

柳絮紛飛猶似雪，桃花鳶尾喜相迎。

香江黃昏觀景

殘雲風捲兩三重，落日金鎔一抹紅。

海上小船燈火爍，高樓泊岸接天宮。

惜時

漫步人生到落霞，詩書作伴愛居家。

時光彈指無聲別，臘去端來賞嫩芽。

浮生

前路漫長長，秋風漸已涼。

青燈猶冷眼，白露結晨霜。

世事如流水，人生若戰場。

蜉蝣原暫寄，不覺枕黃粱。

書香

塵世本多憂，書香翰墨留。

放懷天地闊，莫念古今愁。

萬里長江水，千年黃鶴樓。

莊周蝴蝶夢，何日泛舟遊。

退閒

荏苒韶光到暮年，開懷展卷賞詩篇。

無忘荳蔻心靈苦，有幸桑榆果實圓。

典籍史書傳國粹，琴棋畫冊潤心田。

名成利就南柯夢，反璞歸真順自然。

電視

晚霞織彩錦，斑駁紅紫黃。人生似活劇，熒幕續登場。童年辛酸事，至今未能忘。余本貧家女，姨母心善良。相邀家中訪，觀賞公仔箱。熒屏呈黑白，初睹喜若狂。艾朗西探長，破案細思量。峰迴驚險處，表姐出廳堂。冷面無一語，斷幕入閨房。無奈獨家返，立志當自強。姨母再邀約，敬謝不張揚。偶爾南柯夢，選台任飛翔。晶瑩小方塊，天南地北藏。白駒流水逝，日落暮蒼茫。彩電家家有，主婦當食糧。可憐風雨歷，兩鬢現斑霜。擁之不足貴，獨鍾書卷香。玉盤窗邊掛，清室散光芒。自古冰心在，何懼夜漫長。

憶江南・行山樂

序：週日行龍虎山，沿途風光如畫，老少歡顏。

行山去，紅綠展歡欣。碧海藍天風颯颯，黃童白叟語紛紛。健骨更舒筋。

漁歌子

紅日桃花柳絮稀，白雲青水鴨兒肥。人漫步，鳥高飛。

詩情繾綣在京畿。

菩薩蠻・重遊香山

序：首遊香山，紅葉遍山，美哉！翌年重遊，因流連曹雪芹故居，遲登山，不見人影，枯葉遍地。一瞬入夜，既憂且嘆。

青松落寞心憂戚，香山靜寂人難覓。瞑色瞬來臨，匆匆回路尋。

枯紅嗟命薄，禽鳥鳴哀樂。猶記去年時，遍山紅艷姿。

南鄉子・港島塌樹有感

序：港島古樹倒塌，壓傷孕婦，搶救無效，遺下嬰兒。

暴雨正張狂，獨倚欄杆倍斷腸，樹毀人傷無可奈。徬徨！驟變難知禍暗藏。

殘月掛窗旁，瓦冷衾寒夜漫長。橫禍飛來分愛侶。淒涼！遺下嬰啼覓阿娘。

京津遊之圍爐夜

戊戌隨團京津遊，皇宮陵墓古城樓。

最是難忘薊縣夜，寒風細雨在深秋。

我與夫君尋食肆，團友陸續隨我行。

孤身男兒兩夫婦，還有伯仲亦加盟。

海鮮鐵鍋東北燉，圍爐美食訴衷情。

野生花鰱重五斤，放入鐵鍋加水燒。

計時再放鮮肉排，雞腎玉米味香飄。

青菜豆腐兼雞爪，還有燒餅和粉條。

坐等佳餚談天地，花旗兄長訴心聲。

禍從天降逢車禍，昏迷年多子泣驚。

常聞孩兒頻呼喊，嗚呼蒼天何迫煎註1！

游絲一線仍未斷，幸得犬子伴床前。

堅貞松柏風霜臉，春回大地命保全。

共祝康健齊舉筷，湯白如膠味甘甜。

須臾頓感滄桑變，悲喜隨緣百味沾。

紅爐蒸氣暖通座，北方生活見識添。

室外穹蒼灰暗暗，室內過客暖綿綿。

店主殷實無二價，心純人樸若清泉。

飽餐漫步回旅店，各自修行各渡船。

註1：團友A回憶昏迷期間，竟然聽到兒子大喊：OH ！ My God ！當日我們回程時，領隊在機場派發登機證，找不到A，我大喊：OH ！ My God ！他立刻出現。

後記

這是我的第一本散文集，全書分五輯，包括「成長」、「醫護生涯」、「雜篇」、「美國生活實錄」和「詩詞」。原稿沒有第一輯「成長」，〈包租公〉原放在「雜篇」。鄺龑子教授認為，〈包租公〉記載我的童年，可以作為首篇。他又認為，我可以把童年的經歷真實地寫出來。我經過考慮，覺得只要是事實，也無需掩飾。況且表姐認為我的童年很可憐，我卻沒有這種感覺，還非常懷念童年住在鐵皮屋的日子。這確實是「如魚飲水，冷暖自知」。

完成四輯書稿後，筆者希望推廣中華文化的瑰寶：古典詩詞，特意加上第五輯「詩詞」。

世事如棋，人生如夢，我從來沒有想過寫作，更遑論出版一本散文集。

在香港公開大學修讀文學士期間，我才開始嘗試寫作。二〇一八年至二〇二二年，我參加南溟詩社和茶文化院舉辦的課程，認識鄺龑子教授和張志豪老師，承蒙他們的悉心教導與鼓勵，才決定把經歷和感受訴諸翰墨。在此，我衷心感謝鄺教授的指導和教誨。非常感激張志豪老師的啟發與幫忙，更感謝他們撰寫推薦語。同時，我十分感激張偉國老師賜予序言。拙作《衣袍抖落霜寒》是初文出版社社長黎漢傑先生命名，他解釋，「衣袍」之護士袍，「霜寒」借用諧音《傷寒雜病論》的「傷寒」，同時寓意這麼多年的經歷，書名貼題，我由衷致謝。

特別鳴謝：香港藝術發展局資助，給予筆者莫大鼓舞，讓《衣袍抖落霜寒》順利出版。謝謝每一位協助成書的朋友和購買這書的讀者，有幸得到你們的支持，我會銘記在心。祝願各位生活在愛的懷抱，無懼風霜，享受春花秋月，幸福美滿。

癸卯仲春香港

本創文學 75
衣袍抖落霜寒

作　　者：劉美雲
責任編輯：黎漢傑
封面設計：Lo Sau
法律顧問：陳煦堂 律師

出　　版：初文出版社有限公司
電郵：manuscriptpublish@gmail.com

印　　刷：陽光印刷製本廠

發　　行：香港聯合書刊物流有限公司
香港新界荃灣德士古道 220-248 號荃灣工業中心 16 樓
電話：(852) 2150-2100 ｜傳真 (852) 2407-3062

臺灣總經銷：貿騰發賣股份有限公司
電話：(886)-2-82275988 ｜ 傳真：886-2-82275989
網址：www.namode.com

新加坡總經銷：新文潮出版社私人有限公司
地址：71 Geylang Lorong 23, WPS618 (Level 6), Singapore 388386
電話：(+65）8896 1946
電郵：contact@trendlitstore.com

版　　次：2023 年 4 月初版
國際書號：978-988-76544-9-0
定　　價：港幣 78 元　新臺幣 280 元

Published and printed in Hong Kong

香港印刷及出版

香港藝術發展局全力支持藝術表達自由，
本計劃內容並不反映本局意見